Frayeur sur le Net 2

**Du même auteur chez le même éditeur**

*Frayeur sur le Net*, Collection Peur de rien, 2000.
*Du sang sur la chair d'une pomme*, roman, 1999.

Maxime Roussy

# Frayeur sur le Net 2

*roman*

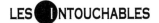
LES INTOUCHABLES

Les Éditions des Intouchables bénéficient du soutien finan-
cier de la SODEC, du PADIÉ et sont inscrites au Programme
de subvention globale du Conseil des Arts du Canada.

LES ÉDITIONS DES INTOUCHABLES
4674, rue de Bordeaux
Montréal, Québec
H2H 2A1
Téléphone: (514) 529-8708
Télécopieur: (514) 529-7780
intouchables@yahoo.com

DISTRIBUTION:
Prologue
1650, boulevard Lionel-Bertrand
Boisbriand, Québec
Téléphone: (450) 434-0306
Télécopieur: (450) 434-2627

Impression: AGMV-Marquis
Infographie: Yolande Martel
Illustration de couverture: Jean-Paul Eid
Maquette: Stéphanie Hauschild

Dépôt légal: 2000
Bibliothèque nationale du Québec
Bibliothèque nationale du Canada

ISBN 2-89549-018-X

# 1

Je suis furieuse. Si furieuse que de la fumée me sort des oreilles.

J'ouvre la porte de la bibliothèque. Elle est là, en arrière du comptoir. Son profil de vautour est penché sur un livre.

J'appuie sur le bouton de la sonnette trois fois même si elle n'est qu'à deux mètres de moi. Ting, ting, ting. Elle relève la tête lentement. Ses paupières sont tellement chargées de mascara qu'elle pourrait en faire trois tartines.

– Ouuuiiii, elle fait, comme une longue plainte dans l'infini.

– Tu es la femme la plus mesquine que je connaisse.

Ses sourcils se froncent comme si elle ne comprenait pas.

– Ne fais pas l'innocente, Blandine Blaxwell, je tempête. Tu sais très bien de quoi je parle.

Du calme, Mina, du calme. Je me suis fait la promesse solennelle pendant ma convalescence de ne plus m'emporter comme avant. Toute cette violence à laquelle j'ai fait face ces derniers mois m'a fait prendre conscience des impacts de mon côté, disons, agressif. J'ai changé. Oui, oui, j'ai vraiment changé. Difficile à croire, n'est-ce pas?

Je ne sais pas trop pourquoi la bibliothécaire de mon école m'en veut. Depuis que je suis de retour, je suis devenue son mouton noir.

Ça fait deux semaines que je suis revenue à l'école. J'ai été accueillie en véritable héroïne. Il y avait une énorme banderole accrochée dans l'entrée principale. On avait écrit à la gouache : « BIENVENUE À TOI MINA ». Même les membres de l'harmonie ont participé aux festivités. Ils ont (affreusement) joué un morceau de musique sur lequel j'ai, encore aujourd'hui, de la difficulté à mettre un nom. Paraît que c'est une de mes mélodies préférées. C'est en tout cas ce que m'a dit le directeur par intérim, monsieur Shriner, mon ancien prof de biologie, celui qui remplace feu Georges Kazhakstan. Malgré tout, c'était une délicate attention.

Tous les gens dont je croise le regard depuis ce jour me font des sourires. Même mes anciennes ennemies.

La lune de miel s'est terminée trois jours plus tard, au moment où j'ai rapporté à la bibliothèque un livre emprunté. J'étais en retard de quatre mois. J'avais une bonne raison : je ne pouvais pas me déplacer, j'avais la jambe droite complètement plâtrée.

– Tu me dois dix dollars et trente-cinq cents,

jeune fille, m'a dit madame Blaxwell, les lèvres pincées.

Je lui ai expliqué ce qui s'était produit, même si j'étais sûre qu'elle était au courant. Tout le monde connaît mon histoire.

– Ce n'est pas une raison. Dix dollars et trente-cinq cents ou c'est la suspension.

– Avant que je te paye, toutes les adolescentes du monde vont être bien dans leur peau. Je t'ai dit que je ne pouvais pas le rapporter, ton stupide livre.

Elle s'est mise à le feuilleter. En plein milieu, elle en a sorti un confetti qu'elle m'a exhibé comme si c'était une preuve matérielle cruciale dans le dossier d'un meurtre.

– En plus, tu ne l'as pas lu. Tu l'as eu quatre mois et tu n'as pas eu le courage, que dis-je, la persévérance de passer au travers de… cent vingt-quatre pages. Ce minuscule morceau de papier est là pour en attester. Si ç'avait été le cas, il ne serait plus là.

– Que je l'aie lu ou non, ce n'est pas de tes affaires.

– Oh oui, ce sont de mes affaires ! Et bien plus que tu ne le penses. Vous autres, les jeunes, êtes des incultes et des ignares. Vous êtes trop paresseux pour lire un petit livre en entier. Vous êtes trop habitués à jouer à des jeux vidéo violents et à fumer de la drogue dans les toilettes.

– Relaxe, Blaxwell. Je ne l'ai pas lu parce que l'histoire est nulle. Il ne se passe rien et il n'y a presque pas de dialogues. C'est insupportable.

– Il te faut quoi pour te divertir? Des tonnes de sang et de sexe, c'est ça?

– Ouais, super, le sexe et le sang. T'as pas des suggestions à me faire?

– Si tu ne lis pas assez, tu vas rester toute ta vie une fille stupide.

– Tu commences à me rentrer dans le chakra, Blaxwell. C'est parce que t'es une vieille fille que tu lis autant. Il te faudrait un mec pour te dégourdir un peu.

Elle a penché la tête pour me regarder au-dessus de ses lunettes.

– Dans mon temps…

– Je me fous de ton temps. Tu n'avais même pas Internet.

– Dans mon temps, à l'école, on lisait au moins deux livres par semaine. Pas des petites plaquettes, non, des briques. Et si on avait le malheur de se plaindre…

Elle a fermé les yeux et a pris une grande inspiration.

– …si on avait le malheur de se plaindre, c'étaient les châtiments corporels. Et pas n'importe lesquels. Le fouet! Oui, jeune fille, le fouet!

J'ai enlevé mes coudes du comptoir pour m'en aller, mais elle a attrapé la manche de mon chandail et a approché son visage très près du mien.

– Tu vas regretter ce que tu as fait. Tu mériterais

que je te donne des coups de fouet. Et plus qu'un. Jusqu'au sang.

– Tu peux continuer à fantasmer, vieille serpillière.

J'ai donné un coup d'épaule et je suis partie en me demandant quelle mouche pouvait bien l'avoir piquée. Habituellement, c'était une femme molle et docile. Même quand on imitait sa voix de vieux phonographe devant elle, elle ne réagissait que par une sorte d'indifférence triste.

Puis, du jour au lendemain, elle est devenue agressive, voire hystérique. Prise de médicaments antipsychotiques ? Ça se peut. Ménopause ? Encore trop jeune. Trop-plein de frustrations sexuelles refoulées ? Pour sûr. Qui sait, peut-être est-elle jalouse de mon statut d'héroïne.

Ce matin, monsieur Shriner m'a fait demander à son bureau. Je croyais que c'était pour recevoir d'autres honneurs. C'était tout le contraire, en fait.

Le plus sérieusement du monde, il m'a avertie qu'en plus d'être sévèrement réprimandée pour « vandalisme injurieux », j'allais devoir rembourser à la bibliothèque le fameux livre que j'avais emprunté. Voyant que j'étais plus qu'interloquée, il a sorti un petit sac de plastique transparent d'un tiroir de son bureau.

C'est à sa vue que la moutarde m'est montée au nez.

## 2

Le livre était dans un état pitoyable. La page couverture avait été arrachée, on avait trempé le bouquin dans une substance brune et collante (la boisson gazeuse des abreuvoirs, sûrement) et, le clou de la chose, chaque page était décorée d'une maxime scabreuse écrite à la main telle que : «Si Blaxwell était un arbre, aucun oiseau ne voudrait venir s'y percher, pas même pour y faire ses besoins», comme dans un agenda de croissance personnelle.

Oui, tout le monde sait que je suis la reine des graffiti malveillants (en fait, c'était l'ancienne Mina), mais je ne suis pas la personne responsable de ce carnage.

Le directeur était assis devant moi et tenait le sac en plastique du bout des doigts. Il ne cachait pas son dégoût.

– Beau travail. Tu n'espérais pas t'en sortir à si bon compte…

– Ce n'est pas moi qui ai fait ça.

– Pourtant, mademoiselle Blaxwell peut prouver de façon irréfutable que tu es la dernière personne à avoir sorti ce livre de la bibliothèque. Tu te rappelles avoir eu ce livre en ta possession, non ?

– Oui, je m'en souviens très bien mais quand je l'ai remis, il était dans un état impeccable. Et puis, si vous comparez cette écriture à la mienne, vous verrez qu'elles ne se ressemblent pas.

– C'est ta parole contre la sienne. Les circonstances me forcent à te donner un avertissement écrit. La prochaine fois, c'est l'expulsion. Et il va falloir que tu rembourses l'école aussi. La bibliothécaire m'a aussi dit que tu avais refusé de payer une amende.

– L'amende, c'est vrai, mais ce n'est pas moi qui ai fait ça. C'est elle.

– Mina, si tu profites du fait que tu portes une auréole temporaire pour assouvir tous tes caprices, tu vas vite le regretter.

– C'est une injustice !

– Si tu rembourses le livre et l'amende, je suis prêt à passer l'éponge. Mademoiselle Blaxwell est au service de cette école depuis vingt ans. À ma connaissance, on n'a jamais eu le moindre problème avec elle. On ne peut pas en dire autant de toi. La prochaine fois…

– Il n'y aura pas de prochaine fois. Je te le garantis.

J'en suis donc à régler mes comptes avec Blaxwell. Je sais que c'est elle qui a mis le livre dans cet état. Si elle veut la guerre, elle va l'avoir. Et pas n'importe laquelle : la Troisième Guerre mondiale version Mina Kemper. Au diable la nouvelle Mina !

– C'est toi qui as vandalisé le livre, Blaxwell, je lui dis en la pointant du doigt.

– Le livre, quel livre ?

– Tu vas payer pour ça.

Elle regarde autour d'elle.

– C'est toi qui vas payer, Mina. Tu ne t'es pas mêlée de tes affaires et tu vas devoir en subir les conséquences.

– De quoi parles-tu ?

– Dis-moi où il est.

– Où il est quoi ? Le livre ? Il est dans le bureau du directeur.

Elle bondit sur moi et attrape mon poignet. Elle est frêle et menue mais elle a de la poigne.

– Tu sais ce qu'on faisait avec les albinos au XVIᵉ siècle ? On les faisait brûler parce qu'on croyait qu'ils étaient les enfants de Belzébuth. Ils avaient raison. Tu es la fille de Belzébuth.

Une fois l'effet de surprise dissipé, j'essaie de me défaire de son emprise mais elle me tient solidement.

– Dis-moi où est le livre. Je sais que c'est toi qui l'as.

Les veines emprisonnées de ma main gonflent à vue d'œil. Un étudiant entre dans la bibliothèque. Elle me relâche aussi vite qu'elle m'a empoignée. L'étudiant passe devant nous. Blaxwell lui fait un sourire. Une fois qu'il est assez loin pour ne pas entendre, elle me chuchote :

– Un jour, je vais boire ton sang jusqu'à la lie.
J'avais dit à Kazhakstan que tu étais la fille du démon.

– Répète ce que tu viens de dire.

Elle esquisse un sourire hypocrite.

– Je n'ai rien dit.

– Tu as parlé de Kazhakstan. Qu'est-ce que tu as
dit à Kazhakstan ?

– Moi ? Je n'ai rien dit. Tu m'excuseras, il faut que
je travaille.

Elle s'en retourne tamponner ses livres. Je recule
jusqu'à la porte. Avant que je sorte, elle me jette un
dernier regard. Ça n'est pas arrivé souvent dans ma
vie, mais cette femme a réussi à m'effrayer.

# 3

Alors que je me rends à mon casier, une grande fille aux cheveux roux dont je ne me rappelle plus le nom m'intercepte. Avec un petit sourire narquois, elle m'apprend que le nouveau prof de biologie veut me voir à son bureau. Ce n'est pas de bon augure.

Parce que monsieur Shriner a été promu directeur, il a évidemment fallu remplir le poste qu'il avait laissé vacant. La commission scolaire a donc engagé un remplaçant. Il s'appelle Frédérick Frisco mais il tient à ce qu'on l'appelle Fred. J'estime qu'il a trente ans, maximum.

Il a transformé la classe en un véritable bric-à-brac de squelettes de tous genres, de bocaux de formol remplis de foies de poules, de têtes de veaux, de cœurs de bœufs et d'une chose qui ressemble étrangement à un fœtus humain (il dit que c'est un cochonnet, mais la rumeur veut que ce soit l'enfant que sa femme n'a pas porté à terme ; horrible, non ? En tout cas, si c'est un cochonnet, il a les oreilles du prof).

Il y a entre lui et moi un aquarium rempli de poissons exotiques, de sorte que sa tête semble être trois fois plus grosse que la normale.

– Fred ?

Il a un réflexe de surprise.

– Mon Dieu, ne me fais plus jamais peur comme ça.

– Désolée.

– J'étais concentré sur ces nouveaux piranhas que je viens de recevoir. Ils sont gourmands, les coquins. Regarde ça.

Dans un autre aquarium, plus petit celui-là, il tire de l'eau avec un filet un poisson rouge qui, au contact de l'air, donne l'impression d'être à bout de souffle. Il le prend par la queue et le jette dans l'aquarium des piranhas.

Il me fait signe de m'approcher.

– Observe bien la réaction du poisson rouge. Il n'a pas l'air de savoir ce qui l'attend.

– C'est si… cruel, je dis.

– Ce n'est pas cruel. C'est un spectacle très beau à voir. Regarde, regarde…

L'un des quatre piranhas s'approche et ferme sa mâchoire sur la queue du pauvre poisson rouge qui ne comprend rien. Fred a les yeux grands ouverts et il sourit.

– Observe maintenant comment le piranha va achever sa proie.

Je détourne la tête.

– Dégueulasse.

– Ce n'est pas dégueulasse. C'est la nature qui le

veut ainsi. Manges-tu de la viande des fois ? Tu dois sûrement aimer les bonnes pièces de viande bien saignantes ?

– Oui.

– As-tu déjà vu le sort que l'on réserve aux bœufs ou aux porcs dans les abattoirs ?

– Ce n'est pas la même chose. Ce pauvre poisson rouge, il est tout innocent.

– On est toujours la proie de quelqu'un ou de quelque chose, même indirectement. Tu peux croiser un bœuf dans un champ et, quelques jours plus tard, il se retrouve dans ton assiette. Nous vivons dans un écosystème hypocrite, à l'image des gens qui le contrôlent.

– Qu'est-ce que tu fabriques avec des piranhas ?

Il couvre l'aquarium d'une grille.

– Je fais une recherche sur l'anthropophagie.

– Pardon ?

– L'anthropophagie. Plus communément appelée « cannibalisme ». Je vais cesser de nourrir ces prédateurs pour voir si, une fois affamés, ils vont s'entre-dévorer.

– C'est si…

– Naturel. Oui, le vrai mot est « naturel ». Quelle est la différence entre manger de la chair humaine et de la chair animale, Mina ?

– Il y a une grosse différence, crois-moi. Même mal prise, je ne le ferais pas.

– Tut, tut, tut, ne parle pas si vite. Ton instinct de survie est beaucoup plus fort que tu peux le penser. En Russie, après la révolte bolchevique, les gens n'ont pas hésité à manger les cadavres de leurs proches. Ils les vendaient même dans des marchés. Il y a aussi cette histoire de l'avion qui s'est écrasé dans la Cordillère des Andes. Il n'est pas loin, le jour où on va commercialiser la chair humaine.

– D'accord, d'accord, inutile d'en rajouter, je te crois. Tu vas laisser tes poissons se bouffer entre eux, c'est ça ?

– Oui. Et je vais faire accoupler le survivant pour produire, au bout de cinq ou six générations, une race de super-prédateurs.

Il lève les yeux comme s'il fixait l'horizon.

– Ça va donner des super-cannibales.

– T'as pas autre chose à faire dans la vie, Fred ? T'as pas une famille ? Des hobbies autres que de créer des super-cannibales ? Comme une collection de timbres ? C'est parfois un peu moins sanglant et, pour certains, tout aussi excitant.

– De toute façon, je ne t'ai pas fait appeler pour te parler de mes projets.

– Qu'est-ce que je peux faire pour toi ?

– C'est au sujet de la rédaction sujet libre que tu m'as remise hier. Douze de tes camarades m'ont donné le même texte. De véritables copies conformes. J'imagine que tu as pigé ça sur Internet ?

– Non, non, non…

– C'est ça, c'est ça et mon nom est le professeur Frankenstein. Peut-être que monsieur Shriner était tellement blasé que vous pouviez lui en passer des grosses, mais ce n'est pas mon cas. Par ailleurs, tu croyais vraiment que j'allais croire que tu t'intéressais aux «Molécules d'ions négatives dans un environnement potentiellement électromagnétique et bucolique»? T'as zéro, Mina. Quel est ton numéro de téléphone à la maison?

– Pourquoi?

– Tes parents vont être contents d'apprendre que tu me prends pour un imbécile.

– Je n'ai pas de parents. Ils sont morts.

Son regard m'indique qu'il ne me croit pas.

– Donne-moi ton numéro de téléphone, s'il te plaît. Si tu continues à me narguer, je vais mêler le directeur à cette histoire.

Je lui donne mon numéro en pensant que je suis en train de vivre une authentique journée merdique. Il le note dans un calepin qu'il a sorti de la poche de sa chemise.

– Je vais les contacter dans deux jours, question de massacrer ta fin de semaine. Allez, fais du vent!

Je pense lui souffler dans le visage mais, à bien y penser, ce n'est pas une bonne idée. Et puis, ce n'est pas une attitude digne de la nouvelle Mina Kemper.

La prochaine fois, va falloir que je déniche des sites d'aide rédactionnelle aux étudiants moins populaires. Dire que j'ai dépensé vingt-cinq dollars pour télécharger ce texte!

# 4

Cette histoire avec la bibliothécaire prend vite le dessus sur mes autres soucis. Il faut que j'en parle à quelqu'un.

Je trouve Cyprine Halley dans le local qui a longtemps été mon quartier général du temps où j'étais présidente du Conseil étudiant.

Même s'il lui manque les deux bras et les deux jambes, elle se débrouille plutôt bien grâce à un ouistiti qui reste tout le temps juché sur son épaule et qui a été dressé expressément pour effectuer des tâches pas trop compliquées, comme verser du jus dans un verre ou tourner les pages d'un livre. C'est un cadeau que le maire de notre ville lui a fait pour la remercier du courage dont elle a fait preuve (et peut-être pour excuser le mauvais travail de ses policiers).

Je cogne deux fois sur la porte ouverte.

– Je peux te parler, Cyprine ?

Le ouistiti tourne la tête vers moi en même temps que sa maîtresse. Leur mouvement a été parfaitement synchronisé.

– Oui, Mina, bien sûr.

– Comment s'appelle ton singe? je lui demande en me tirant une chaise.

– Gingivite,…

Je m'apprête à affirmer qu'on ne peut trouver nom plus affreux pour un animal, mais je tourne ma langue sept fois.

– Hum, Gingivite. C'est… euh… spécial.

– Au début, je voulais l'appeler Foufoune. Mais j'ai décidé d'honorer mon grand-père dont le prénom était Gingivite.

– Ah! les noms des vieux! Si tu avais un ami de cœur, t'aurais pas besoin de Gingivite. Il est vrai qu'un gars est un peu moins intelligent que ton singe…

Elle a un rire forcé. Moi aussi.

Discuter avec Cyprine me rend mal à l'aise. Si j'avais été dans sa peau, je m'en serais voulu à mort. C'est en quelque sorte à cause de moi si elle est dans cet état. C'est moi qui me suis fait passer pour elle. C'est moi qui voulais me venger. J'aurais mérité amplement sa haine.

Ce n'est pas le cas. Elle est toujours affable avec moi et l'éprouvante expérience qu'elle a vécue ne l'a pas détruite, loin de là. Elle a encore plus confiance en elle, tellement confiance en elle qu'elle a perdu l'habitude de bégayer.

Je me fais violence en le disant, mais je dois avouer qu'elle est excellente en tant que présidente.

De beaucoup supérieure à moi, et ce dit en toute humilité.

Je tire une chaise. Le ouistiti, sans que Mina ait eu à le lui dire, prend l'initiative de déplacer la chaise roulante électrique à l'aide du manche à balai pour l'approcher de moi.

– Qu'est-ce que je peux faire pour toi, Mina ?

– Eh bien, je sais que c'est un peu, disons…

– Ne prends pas de gants avec moi. Dis-moi ce que tu as à me dire.

– Je pense que la bibliothécaire est folle.

– Tu as droit à ton opinion.

Je secoue vigoureusement la tête.

– Non, non, je veux dire : vraiment folle.

– Sois plus précise.

Je fais « un instant » avec mon index et vais fermer la porte.

– Elle a cochonné un livre que j'ai emprunté et elle dit que c'est moi qui l'ai fait. Elle m'en veut, je pense.

– Pourquoi t'en voudrait-elle ?

– Je ne sais vraiment pas. Peut-être que ça a un rapport avec Kazhakstan.

Son sourcil droit se relève.

– Kazhakstan ?

– Oui.

Elle se mord la lèvre puis me demande :

– Est-ce que tu sais comment elle a réagi quand elle a appris sa mort ?

– Non.

Gingivite grimpe sur l'épaule de Mina et se colle à son cou.

– Elle a eu un choc nerveux. Pendant un mois, elle ne s'est pas présentée à l'école. Chaque jour depuis vingt ans, elle était venue travailler et elle ignorait complètement que, quelques mètres en dessous de ses pieds, il se passait quelque chose d'horrible. Aussi, je sais que je ne devrais pas trop prêter attention aux ragots, mais j'ai entendu dire de la bouche d'un professeur que Kazhakstan et elle ont déjà eu une liaison, dans leur jeunesse. Je crois qu'il faut faire preuve d'un peu de compassion. Elle est fragile.

– Ouais, t'as peut-être raison. Elle a quand même affirmé qu'elle voulait boire mon sang.

– Boire ton sang… Hum, ouais, elle est plus sérieusement affectée que je ne le croyais. Je vais en toucher mot au directeur si tu n'y vois pas d'inconvénient.

– Tu ferais ça pour moi? Quand je lui en ai parlé, il ne m'a pas crue.

Je me lève.

– Merci de m'avoir écoutée, Cyprine.

– Ça m'a fait plaisir.

Elle baisse le ton et me demande:

– Dis-moi, comment va Fafouin?

Fafouin? Il n'a jamais aussi bien été.

De retour de l'école, je le salue ainsi que XII. Ils sont assis sur le canapé à regarder ces émissions dégueulasses de salle d'urgence avec des ventres ouverts, des crânes fêlés et des ivrognes aux pieds si sales que les médecins n'ont pas d'autre choix que les amputer. Ils sont devenus complètement accros à ces émissions gore.

Alors, quoi de neuf depuis la dernière fois? Pas grand-chose.

Depuis que j'ai décidé de lui faire subir une diète, Fafouin, l'ancienne mascotte vivante de mon école, m'en veut. Auparavant, il mangeait exclusivement des condoms non lubrifiés «nervurés pour son plaisir». Pour son bien, j'ai décidé de modifier son alimentation et de lui faire bouffer des condoms lubrifiés «nervurés pour son plaisir» qui, comme tout le monde le sait, contiennent beaucoup moins de cholestérol que les non lubrifiés (aussi étonnant que cela puisse paraître). Je n'ai pas eu d'autre solution. Renverser le mauvais sort que Kazhakstan lui avait jeté a eu le même résultat que si je l'avais fait castrer : tendance à la paresse, donc surcharge pondérale. C'était pour le plus grand bien de l'humanité (et les bras des jeunes filles vierges).

XII, le danois efféminé que j'ai recueilli chez moi après la malencontreuse mort de Rachel, est un bon chien, mais intransigeant parfois du point de vue vestimentaire. Monsieur ne porte que des vêtements griffés. Un vrai snob.

Depuis que Fafouin et lui ont été réunis, ils vivent une relation que je n'hésite pas à qualifier d'amoureuse (mais platonique). Ils sont devenus comme les deux doigts de la main. Un couple en symbiose. Fafouin ferait n'importe quoi pour XII et vice versa.

Et mon père est un fantôme. Toujours. Comment il est comme paternel ?

L'adolescence, c'est bien connu de tous, est une période cruciale pour celui ou celle qui la traverse. J'ai quinze ans, je suis en plein dedans, je sais de quoi je parle.

À mon avis, il y a trois sortes de parents.

Premièrement, il y a le parent « fasciste ». Le poids de son autorité asphyxie carrément son enfant. Sous prétexte de protéger son gars ou sa fille (ouais, ouais, ouais), il ne le laisse sortir dans le méchant monde que pour le nécessaire tel que l'école. Le problème fondamental est que ce genre de parent jouit de ce pouvoir. Et, c'est bien connu, l'être humain aime avoir du plaisir. La plupart du temps, l'adolescent devient servile au possible, le genre prêt à ramper devant quelqu'un à la première occasion (comme Anthony, mon ami de cœur, à cause de sa mère). Ou il devient complètement révolté, développant une allergie à l'autorité, ce qui le pousse à commettre des bêtises genre drogue, délinquance et cours de macramé (en prison).

Deuxièmement, il y a le parent « translucide » (au sens figuré). Il est là, mais il laisse toute la latitude inimaginable à sa progéniture. Et il la gâte au maximum, pour éviter de faire face à ses responsabilités. Le résultat est absolument pitoyable : le jeune est paresseux, gâté, capricieux et égoïste. Dans la vie, ça donne des gens puants parce qu'ils se croient tout permis. Au bout du compte, oui, ils sont bardés de diplômes, oui, ils ont de l'argent, oui, ils sont tout à fait inintéressants.

Troisièmement, il y a le parent « juste équilibre ». Le parent idéal (très rare, si vous en voyez un, attrapez-le, attachez-le, il ne faut pas le laisser s'en aller). L'adolescent épanoui est armé pour le monde adulte et fait preuve de gros bon sens parce que son père et/ou sa mère lui ont appris les règles du jeu et l'ont puni avec équité quand il les a transgressées.

Et il y a mon père : le parent « translucide » (au sens propre). Un cas difficile à analyser. Il n'a pas besoin de me réprimander, chaque jour je lui prouve hors de tout doute qu'il a raison de me faire confiance. Il ne sait (heureusement) pas tout ce que je fais et je m'arrange toujours pour ne pas me faire prendre quand je fais des mauvais coups. J'ai beau l'aimer de tout mon cœur, il y a tout de même certaines choses que je ne lui dis pas et qu'il vaut mieux qu'il ne sache pas. C'est mon jardin secret, comme on dit dans les romans d'amour. Quand ta mère est morte et que tu as arraché *in extremis* ton père du joug de la mort, tu connais leur valeur réelle. Un père et une mère (ou leur substitut), qu'ils soient bons ou mauvais, seront toujours les personnes les plus marquantes pour un individu.

Le téléphone sonne.

– Mina?

C'est Anthony, mon ami de cœur. Il me donne l'impression d'être surexcité.

– Qu'est-ce qui se passe, mon chéri? Je ne t'ai pas vu à l'école aujourd'hui.

– Je me suis préparé.

– Tu t'es préparé pourquoi?

– Ne me dis pas que tu ne t'en souviens pas. C'est ce soir le grand soir. C'est planifié depuis longtemps.

Ça m'était sorti de l'esprit! Je jette un coup d'œil sur l'horloge murale du salon. À minuit, je vais être dans le cimetière municipal en train de déterrer le corps de Rachel, mon ex-prof de français/mathématiques que j'ai (malencontreusement, je le répète) tuée.

Tiens, tiens, voilà l'exemple parfait qui illustre le genre d'événement dont je ne touche pas mot à mon père.

– J'avais complètement oublié! je m'exclame.

– Oublié? Ça fait deux mois que tu me tarabustes avec ça.

– Je sais, je sais. Je suis prête. Tu viens me chercher à quelle heure?

Anthony n'a jamais été chaud à l'idée de m'aider à mener mon plan à terme. Il a fallu que j'use de tous mes atouts, autant psychologiques que physiques, pour le persuader de le faire.

La recette de la résurrection des morts, je l'ai dénichée dans le livre que j'ai trouvé dans le bureau de Kazhakstan. Très simple comme recette, par ailleurs. Tellement simple que c'en en est troublant.

Ce livre de magie recèle des choses incroyables. Je n'ai pas encore fait l'expérience, mais il semblerait que si l'on réunit tous les ingrédients et que l'on psalmodie les bonnes incantations, on peut, par exemple, rendre quelqu'un accro à une activité jusqu'à ce qu'il en fasse une obsession, diminuer son quotient intellectuel ou lui faire dire des obscénités contre son gré, et j'en passe.

Je mange sur le coin de la table un sandwich au jambon. Je vais enfiler les vieux vêtements que j'utilise lorsque je m'apprête à effectuer un travail salissant parce que je pense que déterrer un mort, c'est salissant. Puis je me couche sur mon lit pour faire une sieste.

Un bruit sec me réveille. Je regarde ma montre. J'ai dormi pendant cinq heures! Encore un peu sonnée, je regarde à l'extérieur. La nuit est tombée.

C'est Anthony qui a lancé une pierre sur ma fenêtre. Il porte un gros sac dans lequel je peux deviner les formes grossières d'une pioche et d'une pelle.

Je vais avertir mon père de mon départ. Il est assis devant notre ordinateur. Depuis que je lui ai appris à clavarder, ça l'aide à tuer son ennui. Malheureusement pour lui, même quand il discute avec des gens intéressants, il ne réussit jamais à planifier une rencontre de visu. Quand il affirme le plus sérieusement du monde qu'il ne voit pas ses pieds parce qu'ils fondent dans le plancher, qu'il a les yeux et les cheveux transparents et que son poids n'est absolument pas proportionnel à sa taille (il est aussi lourd qu'une molécule), ses vis-à-vis virtuels croient que c'est un petit comique qui ne mérite pas leur intérêt. À force de chercher, peut-être qu'il finira un jour par trouver une personne avec une ouverture d'esprit phénoménale qui va accepter de vivre une relation avec lui.

Par ailleurs, m'est avis qu'il va devoir prendre son mal en patience parce qu'aucune étude n'a encore statué sur l'espérance de vie d'un fantôme.

– Je ne rentrerai pas tard, papa. J'amène Fafouin et XII faire une petite promenade.

Par télépathie, il me dit : Pas de problème, bonne soirée et sois prudente. Bon courage aussi, je me souhaite intérieurement.

Avant de m'en aller, je soulève le matelas de mon lit pour m'assurer que le livre de magie est toujours là. La vue de sa couverture tout usée me rassure.

# 6

Il est minuit passé. Dans ma banlieue, la vie s'arrête à vingt-trois heures, sept jours sur sept.

À pied, nous nous rendons à l'entrée du cimetière. Georges Alexander XII, Anthony et Fafouin m'accompagnent. Et il y a ma nervosité, aussi.

Personne aux alentours. C'est un peu brumeux et le mince et timide croissant de lune dans le ciel ne nous aide pas vraiment à voir plus clair.

Le cimetière est entouré d'une très haute clôture en fer forgé se terminant par des pointes qui paraissent si tranchantes que je pourrais aisément me raser les jambes avec.

– Alors, qu'est-ce qu'on fait ? me demande Anthony qui dépose son sac par terre parce qu'il peine à le traîner depuis qu'on est partis.

– On entre, je lui dis.

Je scrute l'obscurité et repère la porte d'entrée que je pointe du doigt.

– C'est là-bas.

Lorsque je suis venue faire du repérage un peu plus tôt dans la semaine, elle n'était pas cadenassée. Là, elle l'est.

– On a un problème, murmure Anthony.

– On n'a pas de problème. Fafouin, bouffe le cadenas, s'il te plaît.

Il me fixe avec les deux billes noires qui lui servent d'yeux.

– Oui, oui, tu peux. Mais uniquement le cadenas.

Il s'approche et un coup de ses dents acérées suffit à déchiqueter le cadenas.

– Merci, Fafouin !

J'allume ma torche électrique. Quand on bouge les grilles, elles font le bruit d'une souris au cou cassé prise dans une trappe.

Ai-je besoin de décrire les lieux ? Des tombes de toutes les grosseurs sur la superficie d'un terrain de football. Des fois, il y en a une surmontée d'un ange de granit. C'est lugubre.

– Elle est où, sa tombe ? demande Anthony, en nage.

– T'as peur, mon chou ?

– Non.

– Alors pourquoi trembles-tu ?

– Parce qu'il fait froid.

Je vois bien qu'Anthony a peur, même s'il ne veut pas l'avouer. Moi aussi, j'ai peur. Un petit peu. Ce qui ne semble pas du tout être le cas de Fafouin et de XII qui prennent un plaisir fou à jouer à la course à obstacles entre les tombes.

Soudainement, j'entends un cri qui percute mes tympans à trois cent mille kilomètres à la seconde.

Anthony échappe son sac et vient se réfugier dans mon dos.

Je vois venir vers moi... une femme... à moitié habillée... tenant entre ses mains... des vête-ments... et un homme... pas habillé du tout... Fafouin est à leur poursuite...

– Fafouin, je crie dès que je comprends ce qui se passe, espèce de vieille boule de poils crasseux, laisse-les tranquilles.

– Tu n'aurais jamais dû le mettre au régime, me souffle à l'oreille Anthony qui est toujours agrippé à moi. Il a tellement faim qu'il court après le premier couple de pervers venu qui batifole dans un cime-tière.

L'homme nu-fesses et la femme en soutien-gorge et en slip atteignent la porte d'entrée et débarras-sent le plancher. Fafouin revient vers moi. Je braque le faisceau de la torche sur sa tête.

– Qu'est-ce que t'as dans la gueule ?

Il l'ouvre toute grande. Tout en étant prudente, j'en tire un morceau de tissu. C'est un sous-vêtement modèle « avant-la-libération-de-la-femme », époque pendant laquelle les hommes croyaient que leurs épouses leur étaient acquises et ne faisaient pas d'efforts pour les charmer. Très laide et en lambeaux, la paire de petites culottes. Je me tourne vers Anthony.

– Peux-tu m'expliquer comment un homme le moindrement intelligent peut porter ce genre de chose ? Une vraie honte. J'espère qu'il ne pensait pas exciter une fille avec ça. Fafouin, va donc faire un tour avec XII pour voir si vous ne pouvez pas trouver autre chose d'intéressant.

En tout et pour tout, ils découvrent quatre autres couples qui font des choses, ce qui me fait penser que je vis dans un monde de décadence et de perdition (faut dire que je ne fais rien pour l'améliorer).

Une fois le ménage fait, on passe aux choses sérieuses. En premier lieu, je veux aller me recueillir sur la tombe de mon père et de ma mère.

Je suis venue une seule fois ici. C'était pour marquer le cinquième anniversaire du décès de ma mère. J'avais cinq ans. Je m'en souviens comme si c'était hier. Je portais une robe rouge et j'avais sali mes souliers dans une mare d'eau, souliers qui ressemblaient à ceux de Dorothy dans *Le Magicien d'Oz*. Ce jour-là, mon père ne m'avait pas chicanée.

Le cimetière n'est pas très loin de chez moi. En bicyclette, à peine dix minutes. Je n'y suis pas retournée depuis parce que, ce jour-là, c'était la première fois que je voyais mon père pleurer. Pour une petite fille, se rendre compte que la personne que l'on aime le plus au monde est vulnérable, qu'elle aussi pleure quand elle a de la peine, ça donne toute une secousse. Dans ma tête, j'associais cet endroit à la peine de mon père. C'est resté. Surtout depuis que son corps a lui aussi été enterré ici.

Bien que je n'aie pas mis les pieds ici depuis des lustres, je sais où est la pierre tombale de ma mère et de mon père. Là, dans le fond. À côté de la grosse croix de marbre.

– Je vais aller faire un petit tour, je dis à Anthony.

– Bien. Je vais essayer de trouver la tombe de Rachel pendant ce temps.

– Non. Viens avec moi.

Je lui tends la main. Il insère ses doigts entre les miens.

Le morceau de marbre sur lequel sont gravés les noms de mes parents est encore là, défiant le temps et les intempéries. En me plaçant en face de lui, il me vient une presque irrésistible envie de pleurer. Je la contiens tant bien que mal.

Anthony passe son bras autour de mon cou.

– Comment te sens-tu ?

– Mal.

– Tu veux que je te laisse seule ?

À quoi ma mère ressemble-t-elle après ces quinze annnées passées en terre ? Est-ce que sa saloperie de cancer l'a rongée complètement de l'intérieur ? Je prends une grande inspiration et ferme les yeux.

– Non. Ça va aller. Pas nécessaire de faire durer le supplice. Il faut trouver Rachel.

Trouver Rachel. Facile à dire. Quand j'ai appelé au presbytère, la personne qui m'a répondu m'a dit qu'elle est située entre le A4 et le G9. J'aurais dû demander plus d'explications...

Je siffle. Fafouin et Georges Alexander XII viennent nous rejoindre. Nous formons deux groupes pour les recherches. Moi avec XII et Anthony avec Fafouin.

XII et moi prenons le côté le plus au nord du terrain. Les deux autres, celui au sud.

Deux minutes plus tard, XII jappe.

– Tu l'as trouvée ?

Quand je m'approche, il baisse les oreilles comme lorsque je le gronde parce qu'il m'a emprunté un vêtement sans me demander la permission.

La tombe devant laquelle XII est couché est petite et le corps qui repose en terre n'est pas là depuis longtemps parce que le gazon n'a pas encore eu le temps de repousser. On a planté un lys dans la terre, il n'y a pas très longtemps. Je lis le nom de l'occupant des lieux. J'en ai le souffle coupé. C'est Kazhakstan, mon ancien directeur d'école. Je crache sur le bloc de granit.

J'entends Anthony m'appeler. Ils ont trouvé Rachel. Je hurle :

– Je m'en viens !

Il s'appuie sur la pelle qu'il a plantée dans le sol.

– Ça va ? il me demande en apercevant mon visage que je sens blême.

– Oui… En fait, non. Kazhakstan a été enterré ici.

– Oh ! ça a dû te donner un choc.

– Voyons donc, tu me connais mal. Il est mort. Allez, au travail.

La tombe de mon ancien prof est rose. L'épitaphe latine inscrite au-dessus de son nom est : « *Piedisatre dulce et decorum et mirabile visu* », ce qui, je pense, pourrait être traduit librement par : « Le pied est doux, beau et admirable à voir. » C'est tout à fait Rachel.

Au contraire de celui de la tombe de Kazhakstan, qui a été enterré presque au même moment, le gazon a eu le temps de repousser un peu à l'endroit où on a creusé. C'est suspect : le carré de terre est pas mal petit.

– T'as vraiment…, hésite Anthony, je veux dire : tu veux vraiment qu'on déterre le cercueil de Rachel ?

– Oui, monsieur.

– C'est que… c'est que c'est la première que je fais ça.

– Pas moi.

Je lui fais un clin d'œil qui ne le rassure pas.

XII et Fafouin font le guet pendant que nous creusons. Pendant une heure, nous suons à grosses gouttes. Puis ma pelle fait toc. Je prends ma torche et regarde ce que je viens de heurter.

Oh non, ce n'est pas vrai !

# 7

– Ça, ça me rentre dans le chakra ! je maugrée.

Anthony, cinq pieds plus haut que moi, qui a pris la paire de petites culottes déchiquetées pour s'en faire un bandeau (malgré mes vives protestations), prend une lampée d'eau avant de me demander :

– Que se passe-t-il ?

– Elle a été incinérée.

– Non !

– Oui. C'est un genre de pot en terre cuite qui a été enterré ici.

– Hum… C'est un détail primordial sur lequel tu ne t'étais pas arrêtée.

Je m'agenouille et prends ma tête entre mes mains.

– Je ne peux pas faire revivre des cendres !

– Qu'est-ce que tu vas dire à XII ?

– La vérité : que sa maîtresse n'est qu'un tas de poussière dans une urne kitsch.

– Il va le prendre mal.

– Je sais.

Je lui tends les mains pour qu'il m'aide à remonter.

Depuis que j'ai appris la nouvelle de la mort de Rachel, je me déculpabilisais en pensant que j'allais réparer les pots cassés en la ressuscitant d'entre les morts. Ça rendait ma vie moins insupportable. Le coroner a conclu à un suicide, mais je sais que j'y suis pour quelque chose.

J'appelle XII pour lui annoncer la mauvaise nouvelle. Le voir trottiner allègrement, béret et foulard au vent, me donne le cafard. Fafouin le suit.

Je lui déballe tout, sans fioriture. Il le prend mal. Je caresse sa tête.

– Désolée, vieux. Vraiment désolée.

Sur le coup, ça lui a fait mal, mais il va s'en remettre. Va falloir que je l'aie à l'œil quelque temps.

Il se couche à côté de la pierre tombale et, oreilles basses, il pose son museau sur ses pattes avant. Il fait pitié, le petit.

Il est beaucoup plus aisé de refermer le trou. Une vingtaine de minutes et le tour est joué.

Sur le chemin du retour, Anthony me dit :

– Arrête de te sentir mal, tu ne pouvais pas savoir.

– Fais-moi plaisir, Anthony, enlève cette ignoble paire de culottes de ta tête, tu me donnes mal au cœur. C'est ce qui me donne cet air malade.

En traversant le parc, en face du cimetière, nous entendons d'autres cris. Fafouin et XII interrompent encore une fois des couples qui jouent au papa et à la maman. En observant Fafouin poursuivre un homme qui hurle de peur, culotte aux chevilles, je me dis que je devrais penser sérieusement à

43

augmenter un peu ses portions de condoms lubri-fiés «nervurés pour son plaisir». Il devient un vrai danger public.

Puis mon attention se reporte sur l'image de Rachel. Je vais m'en vouloir pour le reste de ma vie, c'est sûr.

En tournant le coin de ma rue, j'aperçois ma maison. Plus je m'en approche et plus je constate que quelque chose ne va pas.

# 8

La fenêtre de ma chambre donne sur la rue. Quelque chose ne va pas parce qu'il y a de la lumière. Quand je pars, je l'éteins toujours. Je fais part de mon observation à Anthony.

– Tu veux que je reste avec toi ? il me demande.

– Non, non. Si je me fais attaquer, Fafouin et XII vont me défendre.

J'embrasse mon copain.

– Merci quand même d'être venu m'aider.

– Je ferais tout pour toi. Y compris...

– ...déterrer des cadavres, je sais. T'es un mec exceptionnel.

Je le regarde partir. En entrant, je fais bien attention à ne pas faire de bruit. Je lève le nez en l'air comme si mon odorat était celui d'un chien. Rien d'anormal, pour l'instant.

Je trouve mon père dans ma chambre. Il est penché sur la cage de mon hamster Philibert. C'est Anthony qui me l'a offert pour me désennuyer pendant ma convalescence (comme si je n'avais pas eu assez de mon père fantôme, de Fafouin la mascotte ex-tortionnaire de jeunes vierges et de XII le danois amateur de beaux vêtements).

Auparavant, Philibert lui appartenait, mais sa mère lui a donné un ultimatum : il devait se débarrasser au plus vite de ce « rat mutant avant qu'il ne rameute toute sa bande qui va envahir notre maison et bouffer toute notre réserve « au-cas-où-une-bombe-atomique-exploserait ». » Hum... La folle du logis, vous connaissez ?

Au début, j'ai essayé de dresser Philibert pour lui faire faire des choses drôles telles que jongler avec ses graines de tournesol ou cracher l'eau de son abreuvoir comme un lama, mais je me suis vite découragée. Il a une tête de mule.

Pendant une journée, je l'ai regardé faire. En vingt-quatre heures, il dort vingt heures. Le reste du temps, il fait des exercices (en plein milieu de la nuit) dans une roue qui ne le mène nulle part (j'ai essayé de récupérer l'énergie qu'il dépensait pour alimenter de petits appareils électriques comme mon baladeur, mais ça n'a pas fonctionné) et grimpe les barreaux de sa cage, tombe dans le bran de scie, grimpe les barreaux de sa cage, tombe dans le bran de scie, etc. Palpitant.

Son seul prédateur naturel est le temps (et mes fesses parce que j'ai déjà failli m'asseoir dessus). Il laisse même Fafouin et XII indifférents.

Mon paternel, donc, fixe la cage. Je viens pour lui

dire qu'il n'a pas le droit de venir dans ma chambre quand je regarde ce qu'il regarde:

– Oh non! ce n'est pas vrai. Quand cette journée de gadoue va-t-elle prendre fin?

Philibert est étendu de tout son long à côté de son plat de bouffe. Il a les yeux ouverts mais la petite fourrure qui recouvre son corps ne bouge plus au gré de sa respiration. Il est mort.

Je m'assois sur mon lit et prends ma tête entre mes deux mains.

– Il ne manquait plus que ça. Il est temps que j'aille me coucher!

Mon père dit qu'il a entendu trois couinements. Il est venu voir et puis voilà. Il me dit qu'on pourrait l'enterrer dans la cour.

– Bonne idée, mais pas ce soir, je suis vannée. En une nuit, je ne crois pas qu'il se décompose au point de devenir un club Med pour asticots. Demain matin, je vais m'en occuper.

Je souhaite bonne nuit à tout le monde, me brosse les dents et vais me coucher.

Mais je ne suis pas capable de m'endormir.

Je me lève. Je pose ma robe de chambre sur la cage. Dix minutes plus tard, je ne suis toujours pas capable de dormir. J'ai eu une idée et même si j'essaie de la balayer sous le tapis de ma conscience, elle résiste.

Je me relève, allume la lumière de ma table de chevet et tire du dessous de mon matelas le livre de magie. J'observe la cage. Je regarde le livre. Je regarde la cage. Je regarde le livre. Pourquoi pas?

Depuis que je suis devenue son propriétaire, je n'ai fait appel à son aide que deux fois, ce qui n'est quand même pas un abus.

La première fois, c'était pour Fafouin.

La deuxième fois, ç'a été sur deux hommes membres d'une secte qui sont venus me déranger un samedi matin à huit heures. Je leur ai jeté un sort tout simple : celui de ne plus jamais être capable de convaincre quelqu'un. Maléfique, n'est-ce pas?

Je me précipite à la cuisine pour recueillir tous les ingrédients. Je remonte à ma chambre. Je sors Philibert de sa cage. Son nez est tout froid et sa poitrine est dure. Je le dépose sous la lumière.

Je fais ce que je dois faire avec les ingrédients. Je sais que c'est frustrant d'être tenu dans l'ignorance, mais je ne peux absolument rien dévoiler ; il en va de la survie de l'humanité. Si ce livre se retrouvait entre de mauvaises mains, ce pourrait être l'Apocalypse. Rien de moins. Kazhakstan et Garabond, malgré leurs travers, ont été sages. Très sages.

Je prononce la formule à haute voix en couvrant Philibert de mes deux mains, comme pour former un dôme. Dès que je prononce la dernière syllabe, je le sens bouger.

Je suis estomaquée. Je n'avais aucun doute sur l'efficacité de la chose. Par contre, entre croire et voir, il y a toute une marge. Les yeux gros comme ceux d'un hibou, j'observe Philibert se promener sur ma table. Il en profite même pour gruger l'efface au bout du crayon à mine qui traîne là.

Je le prends dans ma main. Il respire. Son cœur bat, il me semble. Et il me paraît tout à fait normal. Comme s'il n'avait jamais été mort.

Stupéfiant.

Je le remets dans sa cage. Je remplis son plat de bouffe et son abreuvoir d'eau fraîche. Pendant une heure, je reste là, médusée. Des fois, il me fixe et j'ai l'impression qu'il se demande ce que je lui veux.

Je recouvre la cage d'un drap et retourne me coucher. Je suis incapable de fermer l'œil. Encore.

# 9

Mon réveille-matin sonne à six heures et demie, comme d'habitude. J'ai l'impression de m'être endormie à six heures vingt-cinq. De peine et de misère, je déplie mon bras pour l'éteindre. Je refermerais bien mes yeux quelques minutes, juste quelques minutes, mais je sais que je vais passer tout droit.

La première chose que je fais, avant même d'aller à la salle de bains, est de retirer le drap qui couvre la cage de Philibert. Je retiens ma respiration.

Il est couché en petite boule. Il respire. Il a bu un peu d'eau mais il n'a pas touché à ses graines. Normal, je me dis. Après un voyage dans l'au-delà, le décalage horaire doit être pénible pour le corps.

Fafouin et XII sont déjà installés devant la télévision. Une femme a amené son enfant qui a été transpercé par un javelot durant un cours d'éducation physique.

Mon père lit le journal. Je vais l'embrasser. En faisant entrer une tranche de pain dans le grille-pain, je glisse :

– Soit dit en passant, papa, mon hamster n'est pas mort.

Il relève la tête. Il dit : Pas mort ?

– Oui, pas mort. Je ne sais pas trop comment ça se fait, mais, ce matin, il est en pleine forme. On s'est trompés de diagnostic. Voilà pourquoi on n'est pas des médecins, j'imagine. Heureusement qu'on ne l'a pas enterré !

Il me dit : Hier soir, il était mort. J'en suis sûr. Pas besoin d'être médecin pour constater la mort de quelqu'un. Je sais de quoi je parle.

– Eh bien, si tu ne me crois pas, va voir en haut.

Il me dit : Tu n'es pas encore en train de préparer un mauvais coup ?

– Moi ? Jamais de la vie ! Je peux t'emprunter le beurrier ?

Il me dit : N'oublie pas, ma chérie : pense avant d'agir. Demande-toi, avant toute chose, si tu es prête à assumer les conséquences de tes actes.

– Tu sais comment j'apprécie quand tu me fais la morale, surtout quand je viens de me lever ?

Il me dit : Je ne te fais pas la morale. Je t'inculque des principes.

– J'ai quinze ans. Je suis assez vieille pour savoir ce que je fais et, comme tu dis, d'« assumer les con-séquences de mes actes ».

Il me dit : Très bien, ma fille. Très bien. Je te fais confiance.

Je mange rapidement, trop rapidement, ça me donne mal au cœur. Je retourne dans ma chambre. Philibert est réveillé et tourne dans sa roue.

Tout en me battant avec l'agrafe de mon soutien-gorge, je me remémore tous les événements que j'ai vécus au cours des derniers mois et les mets en perspective avec ce que mon père vient de me dire. Je me demande : «Ai-je toujours pris des décisions et agi tout en étant prête à en assumer les conséquences ?» Hum. Bonne question. Je connais trop bien la réponse (c'est non).

On sonne à la porte. C'est Anthony qui vient me chercher. Il est déjà l'heure de partir.

En marchant vers l'arrêt d'autobus, il me demande :

– Tu as l'air préoccupée. Ce qui s'est passé hier soir te tracasse encore ?

– Oui, oui, c'est ça, c'est ça.

Je suis «préoccupée» toute la journée. Même pendant mon examen de mathématiques, j'arrête d'écrire pour penser à ce que mon père m'a dit.

Quand le professeur annonce que le temps alloué est écoulé, je prends une décision. La plus grande décision de ma courte vie : me débarrasser du livre de magie. À la question : «Suis-je prête à assumer les conséquences liées à la possession d'un livre de magie qui donne à son possesseur des pouvoirs illimités ?», la réponse est : «Non, je ne suis pas prête.»

Je me suis arrogé le droit de libérer Fafouin du sort que Kazhakstan et compagnie lui avait jeté. Je me suis arrogé le droit de rendre inefficace le pouvoir de persuasion de deux hommes sectaires. Puis j'ai réveillé d'entre les morts Philibert, mon hamster, et je suis passée à deux doigts de faire de même avec Rachel. Quelle va être la prochaine étape? Où vais-je m'arrêter? Je me connais trop bien: je ne vais jamais m'arrêter. Je vais toujours trouver une raison pour l'utiliser et une manière tarabiscotée de me justifier.

C'est devenu trop dangereux.

# 10

La cloche annonce la fin des classes. Je vais chercher Anthony à son casier. Je l'embrasse et lui demande s'il a passé une belle journée.

– Oui. Mais j'ai eu une de ces discussions bizarres…

– Ah oui ? Avec qui ?

– Avec la bibliothécaire.

– Qu'est-ce qu'elle te voulait ?

– Rien. On a parlé de toi.

– De moi ?

– Oui.

– Alors qu'est-ce qu'elle me voulait, la vieille chipie ?

– Elle m'a posé plein de questions. Elle voulait en savoir plus sur, tu sais, ce qui s'est passé avec Kazhakstan.

– Tu l'as envoyée paître dans les champs, j'espère ?

– Oui, bien entendu.

J'ai un acouphène. Il vient de me mentir. J'ai songé à me débarrasser de ce pouvoir mais, à bien y penser, c'est un avantage. Moins de chances de se faire flouer par les beaux parleurs. (Je rappelle pour les personnes qui ne le sauraient pas que, pendant mon syndrome prémenstruel, ce sont les mensonges des filles qui me donnent des bourdonnements dans les oreilles ; le reste du temps, ce sont ceux des gars.)

Alors donc, il ment.

– T'es sûr ?

– Bien sûr que je suis sûr. Plus sûr que ça, je suis un citron.

– Moi, je pense que tu m'as raconté un mensonge.

– Bon, d'accord, je ne sais pas comment tu fais pour toujours deviner que je mens, mais je ne l'ai pas envoyée paître, comme tu dis. Je n'avais aucune raison de le faire.

– T'aurais dû. Elle est cinglée, cette femme-là. Elle m'a dit que si elle le pouvait, elle boirait mon sang jusqu'à la lie.

Nous nous retrouvons dehors. Il fait froid et le ciel est couvert de gris.

– Lee ? Bruce Lee ?

– Non, jusqu'à la lie.

– Qu'est-ce que ça veut dire ?

– Ça veut dire le boire au complet. Elle a pété les plombs, je pense.

– Tu sais, les gens de cette génération dépérissent à vue d'œil. Par exemple, ce matin, mon professeur de géographie nous a confié qu'il était accro à la craie de tableau et qu'il commençait ce soir une thérapie. Il en a bouffé trois devant nous. Au début, c'était drôle d'en mettre dans son café sans qu'il nous voie, mais il a aimé ça. Tous cinglés, ces profs!

– T'as raison, tous cinglés.

– Est-ce que tu n'exagères pas un peu en disant qu'elle veut boire ton sang? Je ne veux pas te froisser mais des fois, pour l'effet, tu en rajoutes...

– Je n'exagère pas! Elle m'a vraiment donné l'impression de vouloir le faire.

– Moi, je l'ai trouvée très sympathique. On n'a pas eu raison de rire d'elle dans le passé. Elle m'a même fait un peu pitié.

– Tu ne lui as rien dit sur moi, j'espère.

– Non... Pas vraiment.

Un acouphène.

– Anthony... que signifie ton «pas vraiment»?

– Eh bien... on a parlé de choses... En fait, je lui ai dit que tu avais le livre de magie.

– Pardon?

– Euh... eh bien, elle m'a demandé si j'en avais déjà entendu parler, j'ai dit non mais elle a dit qu'elle savait que tu l'avais, alors j'ai dit oui.

– Tu n'as pas fait ça?

– C'est quoi, le problème?

– Le problème? Tu me demandes quel est le problème? T'es capable de percer des réseaux informatiques, de créer des virus, mais t'es pas capable d'entrer dans ta petite tête qu'il ne faut jamais, tu m'entends, jamais parler de ce livre. T'es le seul qui soit au courant que c'est moi qui l'ai. Est-ce qu'elle t'a posé d'autres questions?

– Eh bien, elle m'a aussi parlé de Fafouin.

– Oh non! Ne me dis pas que tu lui as dit que je l'hébergeais.

– Ben quoi? Comment je pouvais savoir que ça pouvait te déranger?

– T'aurais dû savoir! Tu ne t'es jamais demandé pourquoi je ne vais jamais faire de promenade matinale avec lui, la laisse au cou? Parce qu'il est un secret d'État!

– Relaxe, Mina. T'as tes règles, c'est ça? C'est pour ça que t'es si énervée.

Rien ne m'insulte plus qu'un gars qui me demande si j'ai mes règles quand je fais preuve d'un tant soit peu de caractère. Je saute sur Anthony et le pousse sur le mur de brique. Son dos craque.

– Si tu répètes un jour ce que tu viens de me dire, je te le jure, je vais couper tes dix doigts et te les faire avaler un par un. Ne me rentre plus jamais dans le chakra, t'as compris?

Il fait oui de la tête.

– Et dis-toi que lorsque j'ai mes règles, ça peut être cent fois pire.

Je le relâche et, furibonde, me dirige vers l'arrêt d'autobus. Je ne me retourne même pas pour le regarder.

# 11

À la maison, tout est calme. Fafouin et XII sont encore plantés devant la télévision (un médecin explique que la jambe gangrenée de son patient est le résultat d'une mauvaise hygiène), mon père clavarde et, moi, je vais directement dans ma chambre pour me débarrasser de ce fichu livre de magie.

Mais, avant tout, je jette un coup d'œil sur Philibert. Il ronge les barreaux métalliques de sa cage. Il a bu toute son eau mais n'a pas touché à son plat de bouffe. Ça commence à m'inquiéter. Il a l'air d'être affamé. Il se met à arpenter sa cage comme un lion.

J'ouvre la petite porte et approche ma main de lui. Il se retourne, fait bouger ses moustaches et, rapide comme le serpent se lançant sur un poussin, plante ses deux dents d'en avant sur le bout de mon index. Je tente de retirer ma main mais il ne lâche pas prise. Ses dents sont bien ancrées dans ma peau. Je les ai senties percuter mon os.

Philibert a le bout de mon doigt complètement dans sa bouche. J'ai beau agiter vigoureusement ma main, il y reste accroché. Je prends son petit corps dans mon autre main et en appuyant un peu sur sa mâchoire, je parviens à lui ouvrir la gueule. Il tombe sur ma table de travail avec une partie de mon doigt et de l'ongle qui y est attaché.

Je saigne énormément. Néanmoins, je ramasse Philibert et le lance dans sa cage. Je ne prends pas la peine de lui retirer ce qui m'appartient.

Je passe mon index meurtri sous le robinet d'eau froide de la salle de bains et me retiens de ne pas hurler comme un individu qui vient de se refermer la porte de son auto sur les doigts.

Le sang coule sur la céramique blanche du lavabo.

J'évalue les dégâts. Une partie de mes empreintes digitales a disparu et Philibert a eu la grandeur d'âme de me laisser à peu près le quart de mon ongle.

Je prends une débarbouillette dans le placard, la mouille et y dépose mon doigt. J'exerce une forte pression.

Que se passe-t-il avec Philibert? Il n'a jamais manifesté la moindre once d'agressivité dans son comportement. Pourquoi, du jour au lendemain…?

Le pelage de sa tête est imbibé de mon sang. Sur ses deux pattes arrière, il gruge le bout de mon ongle. Il a l'air d'en raffoler. Ce qui n'est pas le cas du bout de peau (ma peau!) ensanglanté qui gît entre ses pattes griffues.

Lorsqu'il a fini d'ingérer l'ongle, il me regarde l'air de dire: «Où est la suite?» Je ne réponds pas à sa demande. Il recule et fonce tête la première dans ses barreaux.

Qu'est-ce qu'il veut ? Me bouffer un autre ongle ?

Je vais à la salle de bains et trouve dans la pharmacie le coupe-ongles. Je reviens à ma chambre et ôte le surplus d'ongle sur mon pouce. La rognure tombe sur la table. Entre les barreaux, je la donne à Philibert. Il se jette dessus et la dévore. Mais il a encore faim.

Je coupe mes huit autres ongles et les lui donne. À la fin de son repas, il semble être rassasié.

J'empoigne le combiné du téléphone pour appeler Anthony. Pourvu que ce ne soit pas sa mère qui réponde.

– Oui allô ?

Zut !

– Heu... oui, bonjour, c'est Mina, est-ce que votre fils est là ?

– Oui, mais il ne peut pas te parler maintenant. Il fait ses devoirs.

– Eh bien, c'est une urgence.

– Si c'est une urgence, appelle la police.

– C'est que... je ne sais pas comment vous dire ça, c'est très, très, très personnel.

– Tu vas le voir demain à l'école.

– Non, faut vraiment que je lui parle, c'est important.

– Qu'est-ce qui est si important et qui ne peut pas attendre ?

– Je suis un peu mal à l'aise... Voilà, je suis allée à

l'hôpital parce que j'avais des démangeaisons incroyables… Bref, je pense que j'ai refilé une MTS à votre fils.

– Quoi?

– C'est pour cette raison que je voulais lui parler personnellement. Maintenant, vous êtes au courant.

– Ça ne se passera pas comme ça…

– Euh… madame?

– Oui?

– Si j'étais vous, je me tiendrais loin de lui. Les insectes qui ont envahi les endroits pileux et humides de mon corps sont des champions du saut en longueur.

– Annntttthhhooonnnyyyy!

Elle a l'air fâchée, la madame. Anthony décroche un autre téléphone. Il n'a pas l'air content non plus.

– Qu'est-ce que t'as encore dit à ma mère, Mina?

– Pas important. Viens-t'en tout de suite. J'ai quelque chose d'hallucinant à te montrer.

# 12

Anthony arrive quinze minutes plus tard. Ses cheveux sont collés sur sa tête parce qu'il pleut et qu'il n'a pas pris de quoi se couvrir.

– Entre, entre, tu vas être malade. Ta marâtre t'a laissé sortir?

– Je ne te comprendrai jamais, Mina Kemper. Cet après-midi, tu m'engueules comme si j'étais un moins que rien, tu me rappelles une heure plus tard en me commandant de venir chez toi. Ajoute à tout cela que je n'ai jamais vu ma mère aussi scandalisée de ma vie. T'es un vrai phénomène.

Je prends son manteau et vais l'accrocher dans la salle de bains.

– Le phénomène, il est en haut dans sa cage. Pour ce qui est de ta mère, elle ne voulait pas me laisser te parler. Je n'avais pas le choix.

– Je ne sais pas ce que tu lui as dit, mais elle est allée enfiler son habit de motoneige et, avant que je parte, elle a tenté de vaporiser mon pantalon d'insecticide. Elle m'a dit que si je voulais revenir, fallait que j'aie un papier d'un exterminateur.

Il fait les gros yeux en s'apercevant que je porte

un énorme bandage tout rouge de sang sur l'un de mes doigts.

– Seigneur, qu'est-ce qui t'est arrivé?

– C'est le phénomène. Suis-moi.

Je prends sa main et l'amène dans ma chambre. Je le place devant la cage. Philibert se fabrique un nid de bran de scie.

– Tu vois cette petite bête?

– Euh… oui?

– Oui, oui, tu la vois. Eh bien, hier soir, quand je suis arrivée de notre escapade, elle était morte. Je l'ai ressuscitée.

Il se penche et appuie ses mains sur ses cuisses.

– Comment t'as fait ça?

– Rien de plus facile. J'ai fait à Philibert ce que je voulais faire à Rachel. Et ça a fonctionné!

– C'est fort impressionnant mais pas «hallucinant». T'aurais pu me le dire à l'école.

– Non, non, il y a autre chose d'encore plus étrange. Donne-moi ta main.

Un peu craintif, il avance sa main doucement. Je prends le coupe-ongle et sectionne l'ongle de son petit doigt.

– Ouch!

– Désolée. Maintenant, prends ce petit morceau d'ongle et donne-le à ton hamster, mais sois prudent. Il est vif, le verrat.

Il ouvre la porte de la cage et donne à Philibert son bout d'ongle. Tout de suite, l'animal se met à le gruger. Anthony me demande :

– C'est du sang qu'il a sur la tête ?

– Oui, c'est mon sang. C'est lui qui m'a mordue. Regarde comment il prend plaisir à bouffer ton morceau d'ongle.

Anthony fronce les sourcils.

– Je ne veux pas te faire de peine, mais Philibert appartient à la race des rongeurs. Alors, tout ce qui lui tombe sous la main, il le ronge. Y compris les ongles.

– Non, non. Il ronge pour user ses dents. Présentement, ce n'est pas ce qu'il fait. Présentement, il se nourrit.

– Tu veux dire qu'il mange mon ongle pour survivre ?

– Oui, c'est ça. J'ai rempli son plat de graines hier soir. Quand je suis arrivée cet après-midi, il était encore plein. Mais Philibert était complètement affamé. Il voulait manger des ongles.

– Tu crois que, depuis qu'il est revenu d'entre les morts, la seule chose qui lui permet de se remplir la panse, c'est des ongles ?

– Oui, c'est ce que je crois.

– Vraiment bizarre. Est-ce que tu penses qu'ils vendent des sacs de rognures d'ongles à l'animalerie ?

– Non, je ne pense pas.

Je soulève le matelas de mon lit et m'empare du livre de magie.

– Une chose est sûre, cependant : il faut absolument que je me débarrasse de ça.

Anthony opine du chef en regardant du coin de l'œil Philibert terminer son repas.

– Je pense que tu as raison.

# 13

Demain, c'est vendredi. Anthony et moi avons convenu de brûler le livre ce jour-là, dès que la nuit sera tombée. Nous allons faire ça dans le terrain vague situé à l'arrière de sa maison. Les vingt-quatre heures qui viennent ne risquent pas de m'offrir quantité d'occasions de recourir au livre de magie (je l'ai utilisé une dernière fois, juste une dernière fois, pour guérir mon doigt).

Je vais être capable de me retenir, d'autant plus que j'ai demandé à Anthony de rester avec moi cette nuit. Seule sa mère pourrait y voir un inconvénient mais je l'ai tellement mise en colère qu'il n'ose pas l'appeler.

Je gonfle à l'aide du sèche-cheveux le grand matelas pneumatique. Je le pose sur le sol du boudoir qui est tout juste en face de ma chambre. Je tasse la télévision et la chaîne stéréo pour nous faire de la place.

Je me sens un peu coupable d'avoir été si brusque avec Anthony cet après-midi. J'aurais pu être un peu moins directe. Pendant que je guérissais ma blessure, je me suis fait la promesse de ne plus jamais être aussi agressive avec lui. C'est mon naturel, je pense. Et je n'ai pas de permis pour le chasser.

C'est mon ami de cœur et, même s'il est potentiellement interchangeable, faut que je fasse attention à lui. Je ne suis jamais tombée amoureuse de lui mais, à force de le côtoyer, j'ai appris à l'aimer.

Je suis plutôt collante ce soir. J'ai le goût de me faire une petite partie de plaisir. Dans la cuisine, je prends un condom lubrifié « nervuré pour son plaisir » dans le contenant de plastique de Fafouin.

Je ferme la porte du boudoir et éteins la lumière. Anthony est couché sur le dos et il me regarde me déshabiller. Je vais le rejoindre en dessous de la courtepointe et le chevauche. Les gars sont souvent lents mais, cette fois-ci, Anthony a compris le message cinq sur cinq.

Dix minutes plus tard, il me demande de ne plus faire de bruit.

– Quoi?

– J'ai entendu quelque chose dans ta chambre.

– C'est Philibert. Il fait toujours du boucan la nuit.

Je continue de plus belle mais il m'arrête.

– Ce n'était pas Philibert. J'en suis sûr.

– Je n'ai rien entendu, moi.

Faut dire qu'Anthony a développé une troisième oreille lorsque nous faisons l'amour. Il a tellement peur de se faire prendre par sa mère qu'au moindre son il se fige. Même quand on le fait chez moi, il garde ce réflexe.

– Relaxe, Anthony. Relaxe. On ne fait rien de mal.

Clac! Cette fois-ci, j'ai entendu. Anthony se retire de moi et se lève. Je me redresse en m'appuyant sur mes coudes.

– Il y a quelqu'un dans ma chambre, t'as raison.

Il jette ma chemise de nuit sur le matelas et enfile son jeans.

– C'est peut-être ton père?

– Mon père? Qu'est-ce qu'il pourrait bien faire dans ma chambre à onze heures du soir? Va jeter un coup d'œil.

– Non, toi, vas-y.

– T'as peur?

– Oui, j'ai peur.

– Voyons donc, si c'était un voleur, il y a long-temps que Fafouin et XII lui auraient arraché le fond de culotte.

Je me lève, sûre que notre imagination débridée nous joue des tours. Je replace rapidement mes cheveux, pousse un soupir et me dirige vers la porte fermée de ma chambre. Je tourne la poignée. Bar-rée. Ce n'est pas normal.

J'essaie de forcer la porte mais elle ne cède pas. J'y colle mon oreille. Il y a du bruit. Trop de bruit pour que ce soit Philibert.

– Aide-moi à trouver un cintre en métal, j'ordonne à Anthony. Vite.

Il ouvre la garde-robe mais il n'y a que des cintres en plastique. Fafouin et XII dorment dans la chambre attenante à celle de mon père au rez-de-chaussée. Je hurle en tapant du pied :

– Fafouin ! XII ! Papa ! Vite !

Fafouin et XII rappliquent en moins de dix secondes. Je pointe ma porte du doigt. Fafouin la défonce d'un puissant coup de patte. Il entre.

Il fait froid. La fenêtre à guillotine est ouverte. La pièce est sens dessus dessous. Tous mes vêtements jonchent le sol, les tiroirs de mon bureau ont été renversés et... et le matelas de mon lit est collé au mur.

Je me mets à genoux et cherche parmi ce bordel le livre de magie. Je n'arrive pas à le trouver. Philibert me regarde faire, les deux pattes avant sur un barreau et les moustaches frétillantes.

Je tourne ma tête vers Anthony.

– Le livre a disparu.

Il esquisse un petit sourire de dépit et marmonne :

– Tu parles d'un coït interrompu...

# 14

Je demande à Fafouin d'aller se cacher et j'appelle la police. Une auto-patrouille se gare devant chez moi quelques instants plus tard.

Le policier a l'air jeune, il est plus petit que moi et la crosse de son revolver a l'air beaucoup trop grosse pour ses mains.

Il note dans son carnet ce que je lui dis. Il me demande s'il me manque quelque chose. Je dis : « Non, pas à ma connaissance » (j'ai décidé de ne pas déclarer volé le livre de magie).

Il me demande si des meubles ont été abîmés. Je dis que non. Bref, le seul chef d'accusation qui va pouvoir être retenu contre la personne, s'il la retrouve (ce dont il doute fort), est d'être entrée par effraction dans ma chambre. Je signe le rapport de police, et l'agent me dit que s'il y a du nouveau, on va me rappeler. Ses dernières paroles sont : « Ne vous en faites pas, madame, ce genre d'événements arrive toutes les nuits à des dizaines de personnes. Les voleurs ne sont pas violents. Cette personne ne viendra plus vous importuner. Je vous en donne ma parole. »

Je n'en suis AB-SO-LU-MENT pas convaincue.

Je m'assois par terre et regarde avec découragement l'état de ma chambre.

– Je suis persuadée que c'est Blaxwell.

Anthony ramasse un coussin et le pose sur mon lit.

– Pas si sûr. Pour entrer dans ta chambre, le voleur a dû grimper sur le toit et monter par la gouttière. Je ne veux pas me faire insultant mais Blaxwell n'a pas, disons, le poids santé idéal. Je ne crois pas qu'elle ait l'agilité nécessaire pour exécuter cette manœuvre.

– T'as raison. Sauf qu'elle y est pour quelque chose. La coïncidence est trop frappante.

– Qu'est-ce qu'on fait ?

– Il faut la retrouver. Il faut retrouver le livre de magie. Il y a une raison pour laquelle elle a fait tous ces efforts. Elle a une idée derrière la tête.

Nous faisons le ménage de ma chambre. En dessous d'une de mes paires de souliers, je trouve une enveloppe blanche qui ne me dit rien de bon. Je la décachette.

Sur une carte de bibliothèque dont on se sert pour indiquer la date à laquelle le livre emprunté doit être rendu, on a écrit au stylo rouge : «Albinos, tu es le démon. Je vais boire ton sang jusqu'à la lie. L'heure de la vengeance est venue. »

Je la montre à Anthony. Il se frotte le menton.

– Très sympathique comme message.

– Il n'y a plus de doutes à avoir. C'est elle.

– Elle te traite de démon dans le message. C'est mauvais signe.

– Effectivement, c'est mauvais signe. Elle n'a pas l'air d'être…

– … équilibrée.

– Oui, c'est ça.

Je le regarde droit dans les yeux.

– Es-tu prêt ?

– Prêt ?

– Prêt pour la guerre.

– La guerre ?

– Oui, la guerre. Si elle veut jouer à ce jeu-là avec moi, elle va perdre. Je vais me battre jusqu'à la fin.

– Je peux y penser ?

– Non. T'as déjà les deux pieds dedans. Je ne veux pas te décourager, mais elle a toute une longueur d'avance sur nous.

# 15

Je ne réussis pas à fermer l'œil de la nuit, encore une fois. Quand Anthony se met à ronfler comme un vieux moteur mal entretenu, je lui donne un coup de coude dans les côtes.

Lorsque finalement je me lève à six heures et demie, le soleil tape sur la fenêtre de la cuisine qui embaume les crêpes dorées et le sirop d'érable. Parce que j'ai l'air d'une morte vivante, Anthony a décidé de me préparer le petit-déjeuner. Ça, ça permet de commencer une journée du bon pied.

Écouter les nouvelles est la première chose que nous faisons après avoir mangé. Il ne s'est rien passé en rapport avec Blaxwell durant la nuit. Je ne sais pas si c'est une bonne ou une mauvaise chose.

À l'école, Blaxwell est absente. C'est son assistante qui la remplace. Elle lit un magazine. Je lui demande si elle sait quand la bibliothécaire sera de retour. Non, elle ne le sait pas.

– Laisse-moi lire, s'il te plaît.

C'est moi qui suis censée être impolie avec elle, pas le contraire. Si elle continue à inverser les rôles, elle ne fera pas long feu.

Je n'écoute pas les professeurs. Je déteste quand ils lisent à haute voix nos manuels scolaires, comme si on n'était pas assez intelligents pour le faire nous-mêmes. Ils font preuve de paresse et il y a un manque flagrant d'imagination de leur part. Rien pour donner le goût d'aller à l'école.

Je n'ai pas de veine, les deux professeurs agissent de la sorte pendant les deux premiers cours de la journée.

Dans le fond, ce n'est pas important parce que je suis complètement plongée dans mes cogitations. Si bien que je décide de faire l'école buissonnière pour le troisième cours.

Je me réfugie dans l'ascenseur, là où j'ai l'habitude de réfléchir. Entre le premier et le deuxième étage, j'appuie sur le bouton « arrêt » et m'assois sur le tapis élimé.

Il faut que je retrouve Blaxwell. Il faut que je mette la main sur le livre de magie. S'il arrivait un malheur, je m'en voudrais pour le reste de ma vie. Je ferme les yeux et me couche sur le dos. Lorsque je me réveille, il est midi passé à ma montre. J'ai dormi une heure et demie !

Encore toute groggy par le sommeil, je vais faire un tour dans le local de la présidente du Conseil étudiant. Avant que je m'octroie cette pause, Anthony m'a dit qu'il avait vu Cyprine discuter avec le directeur. Peut-être en sait-elle plus que moi au sujet de Blaxwell.

Elle est là. Elle lit un livre. Gingivite, son oustiti, tourne les pages quand elle hoche la tête.

– Cyprine ?

Elle ne bouge pas.

– Cyprine ?

– Non, ne me parle pas tout de suite, faut que je lise.

– Je ne prendrai pas trop de ton temps. Tout ce je veux savoir…

– Non, tais-toi. Il faut que je lise. J'aime lire.

– Tu ne peux…

– Vas-t'en ! Et ferme la porte. Je veux lire en paix.

Insultée, je claque la porte. Elle n'est pas gênée, celle-là ! Je savais qu'elle était férue de lecture, mais pas à ce point.

En descendant les escaliers, je croise une dizaine de personnes qui marchent avec un livre sous le nez. Je vois une fille que je connais, j'essaie de l'intercepter mais elle continue son chemin en murmurant : « J'aime lire, j'aime lire. »

J'ai de la difficulté à comprendre ce qui se passe. Dans la cafétéria, tout le monde lit. Y compris les cuisinières. Y compris le garde de sécurité.

– Mina ?

Je me retourne brusquement. C'est Blaxwell !

– Est-ce que je pourrais avoir un entretien avec toi?

Je recule. Elle tient quelque chose dans sa main. Elle a un sourire aux lèvres. Elle n'est pas maquillée. Elle avance vers moi. Je m'interdis de la regarder directement dans les yeux.

– Non, je n'y tiens pas.

– Viens, approche. Laisse-moi te toucher.

Elle ouvre sa main. Je comprends instantanément ce qui se passe.

Je fuis.

La porte de la cafétéria qui mène à l'extérieur est barrée.

J'emprunte le corridor. Au fond, j'aperçois Anthony. Il est appuyé à un casier. Il lit un livre. Je prends son bras.

– Viens, il faut s'en aller. Elle a jeté un sort à tout le monde, je pense.

– Laisse-moi. Il faut que je lise. J'aime lire, ça me donne du plaisir.

Je le tire mais il ne se laisse pas traîner. Alors, je lui arrache son livre. Il devient fou. Il me pousse brusquement sur un casier et récupère son bouquin.

Faut que je sorte d'ici au plus vite.

Sur mon chemin, je passe à côté du directeur. Lui aussi lit.

J'entre dans une classe au rez-de-chaussée. J'essaie d'ouvrir une fenêtre. Toutes sont verrouillées sauf, évidemment, la dernière de toutes.

Je sue comme un déménageur pendant une canicule. J'arrive à créer un espace de vingt centimètres. Je me glisse dedans. Ce n'est pas assez. Je pousse avec le dos pour forcer la fenêtre.

Blaxwell arrive. Elle entre dans la classe. Je l'entends prononcer des incantations. Il faut que j'arrive à…

Je tombe.

# 16

Je tombe, oui, mais pas longtemps. La chute est de un mètre cinquante environ. Assez pour me faire mal. C'est mon épaule droite qui absorbe le coup.

Je cours. Vers où? Je ne le sais pas trop.

Au poste de police. Oui, c'est une bonne idée. Justement, une auto-patrouille est stationnée en face de l'école. Le policier est penché sur son carnet de contraventions. Sa vitre est baissée. Je cogne trois fois sur sa portière.

Il m'ignore.

– Il faut m'aider, monsieur le policier. À l'école, tout le monde est…

– Je dois lire. J'aime lire.

– Oh non! Pas vous aussi.

Je lui retire son livret de contraventions pour mieux attirer son attention. Finalement, il me regarde droit dans les yeux. Il n'a pas l'air de bonne humeur.

– JE DOIS LIRE!

Il dégaine son revolver et pose son canon sur mon ventre. Je donne un coup de poing sur le revolver. Le policier tente de sortir de son véhicule. Je lui jette son carnet de contraventions au visage et, avant de déguerpir, je m'empare de son arme qui est tombée par terre.

Il est derrière moi. Il court. Il a sorti sa matraque.

En voulant accélérer, je m'aperçois que la blessure à ma jambe droite n'est pas tout à fait guérie. Je ressens une douleur au genou, douleur qui croît au fur et à mesure que je prends de la vitesse. Cinquante mètres plus tard, je m'effondre. J'ai trop mal pour continuer.

Je me retourne. L'avance que j'ai prise diminue à vue d'œil. Ça n'a pas amusé le policier, que je lui retire sa lecture.

Je n'ai pas le choix. Si je veux survivre, faut que j'utilise l'arme.

Je vise ses jambes. J'appuie sur la gâchette. Ça ne fonctionne pas. Elle est bloquée.

Il saute sur moi. Il m'assène des coups de matraque sur le corps. Même si je me protège du mieux que je peux, certains de ses coups portent. L'un d'eux me fait lâcher le revolver qui va atterrir plus loin.

Subitement, la pluie de coups cesse parce que le policier est parti récupérer son arme. Il me montre sans le vouloir ce que j'ai oublié de faire : enlever le cran de sûreté. Il pointe à nouveau son canon sur moi. Il ne perd pas son temps, un coup part. J'ai très bien entendu la balle passer à côté de mon oreille droite. Cinq centimètres et une partie de ma tête se retrouvait pulvérisée.

Je prends le plus d'élan que je peux et je fonce dans ses jambes. Il perd l'équilibre. Il échappe son arme. Je tends la main pour la récupérer. À peine quelques millimètres et je la touche.

Il saute sur mon dos. Mon visage vient percuter le bitume. Le policier tire mes cheveux par en arrière.

– Je dois lire, il vocifère. J'aime lire.

À l'aveuglette, je donne un coup de coude. C'est sa tempe droite qui écope. Il choit. Je prends le revolver.

Difficilement, je me relève. Le policier semble inconscient. Je vise sa tête. Je fais face à un dilemme. Tirer ou ne pas tirer ? Là est la question. Je mets un petit peu plus de pression sur la gâchette.

Je lui donne un coup de pied sur la tempe. Pas de réaction. Je lève ma garde. Pas besoin de le blesser encore plus. Peut-être qu'une fois éveillé, tout cela va n'être pour lui qu'un mauvais souvenir.

Je n'ai pas fait vingt pas que je l'entends hurler. Je pivote. Il fond sur moi, matraque au vent. Je lève le fusil et tire.

Bang ! La matraque rebondit sur le sol parce qu'il n'a plus de main droite.

Bang ! Son genou gauche n'est plus.

Bang ! Sa tête non plus.

Bang ! Bang ! Clic !

Je n'ai plus de munitions. J'approche mes mains de mon nez : elles sentent la poudre à canon. Je laisse tomber le revolver.

Légitime défense, rien de plus.

Pour me rendre chez moi, je n'ai pas d'autre choix que marcher. Il n'y a pas un véhicule qui roule sur la route. L'autobus que j'ai croisé était immobilisé et son chauffeur avait sous les yeux un horaire. Il répétait : « J'aime lire. Lire me donne du plaisir. »

J'entre chez moi. Je verrouille la porte à double tour. J'ai l'impression que mon nez est encore cassé. J'ai de la difficulté à respirer. Je ne suis pas chanceuse : deux fois en moins de trois mois.

Fafouin et XII font un somme. Mon père est étendu sur le canapé. Sans me regarder, il me demande si j'ai passé une belle journée.

– Comment je pourrais te répondre ? Elle n'est pas encore finie.

# 17

Mon père ne panique jamais. Même lorsqu'il était constitué de chair et de sang, il savait faire preuve de calme quand la situation l'exigeait. Petite, je suis revenue tellement souvent à la maison en hurlant pour cause de genoux éraflés ou de piqûres de guêpe qu'il en est venu à ne plus s'inquiéter de mes bobos.

En me voyant, il me demande ce qu'il m'est arrivé. Tout en inspectant les dégâts sur mon corps, je lui explique tout, même les parties de cette rocambolesque histoire qu'il n'est pas censé connaître. Le livre de magie, la bibliothécaire, le fait que tous les gens que j'ai croisés sont obsédés par la lecture et deviennent violents si l'on tente de les empêcher de lire, etc. J'ajoute en terminant qu'il n'a pas besoin de me faire la morale, je sais que j'ai mal agi.

Il s'assoit sur le canapé et adopte la position qu'il prend quand il tente de trouver une solution à des problèmes concrets : les bras et les jambes croisés.

Je m'assois aussi. XII vient poser sa tête sur mes genoux. Je lui gratte le museau.

Après de longues minutes, finalement, mon père dit qu'il n'a aucune idée de ce qu'il faut faire.

C'est une mauvaise nouvelle. Si lui ne sait pas quoi faire, c'est que la situation est désespérée.

Je regarde par la fenêtre. Ma rue est déserte.

Je ferme les stores puis j'allume la télévision. De la neige partout. Une vraie tempête. À la radio non plus, il n'y a rien.

Je tourne en rond. Je me dis que j'aurais dû brûler le livre de magie dès que je l'ai eu entre les mains. J'aurais dû libérer Fafouin de sa malédiction et faire une croix définitive sur le livre. J'aurais dû...

Je me suis mise dans le pétrin, faut que je m'en sorte toute seule, comme une grande fille. J'essaie de faire le vide dans ma tête mais, pour ça, il faut que je reste tranquille, chose que je ne suis pas capable de faire. Faut que je réagisse.

Les murs de ma maison m'apparaissent vite comme une prison. Je décide d'aller faire un tour à l'extérieur. Un peu d'air ne peut que me rafraîchir les méninges et m'aider à trouver la solution à mon problème. Si solution il y a, évidemment.

Mon père me dit qu'il faudrait mieux que j'emmène Fafouin et XII, au cas où. Il a raison. Tant pis si Fafouin se fait remarquer.

Tout le monde lit. Un automobiliste lit le manuel de son véhicule. Le pompiste qui le servait lit les instructions inscrites sur la pompe. Une grosse femme que je vois au travers de la vitrine du supermarché lit ce qui est écrit sur une boîte de céréale.

Un homme chauve à côté d'elle lit l'étiquette d'une bouteille de shampooing. Le dépanneur est rempli de gens agglutinés autour du présentoir à magazines. Un homme lit à haute voix un article dans un magazine pornographique. Tout le monde lit.

– Arghh!

Je me retourne brusquement. Un grand homme habillé de haillons s'avance vers nous. On dirait un clochard. En prime, il pue à des mètres à la ronde.

– Arghh!

Sa voix est rauque et très grave. Sa peau a un teint verdâtre.

Il est pris d'une quinte de toux. Une fois qu'il en est venu à bout, il tire de sa bouche un énorme mille-pattes qui, une fois sur le sol, se sauve.

Je suis ni plus ni moins que dégoûtée. L'iris des yeux du clochard est jaune et ses dents sont noires.

Fafouin voit que j'ai peur. Il se tient à mes côtés.

– Qui êtes-vous? je lui dis.

– Arghh!

– Vous n'êtes pas capable de parler français?

– Arghh!

Il agrippe ma main et essaie de la fourrer dans sa bouche. Aussitôt, Fafouin et XII se portent à ma défense. Le danois attrape une jambe et la mascotte fait entrer la tête du clochard dans sa gueule, l'arrache et la recrache.

Il n'y a pas de sang, uniquement un liquide brunâtre qui gicle de son cou. Le corps est toujours debout. Il tient toujours ma main.

– Arghh!

C'est la tête! Elle a roulé à cinq mètres de moi et elle parle encore.

– Arghh!

Sans que je le lui demande, Fafouin engouffre la tête dans sa bouche et la fait éclater comme une cerise dont la chair est dure. Il n'a aucune peine à la mastiquer et à l'avaler. Le corps décapité devient tout mou et s'effondre sur le sol.

Je regarde ma main. Il y a des petits morceaux de tissus qui y sont restés collés. Ils sont nauséabonds. Non... Ça ne ressemble pas à du tissu mais bel et bien à de la...

# 18

Peau! C'est de la peau en état de putréfaction. L'homme n'était pas un clochard mais une espèce de… mort vivant?

XII s'acharne sur le corps. Il le démantibule. Il revient avec un morceau de bras.

– Lâche ça, c'est absolument dégoûtant. Viens, on s'en va.

Il m'obéit. Je retourne à la maison, tout en vérifiant mes arrières. Fafouin et XII font de très bons gardes du corps.

– Papa! je crie en entrant. Où es-tu?

Il ne me répond pas. Je vais voir dans le salon, sa chambre et ma chambre. Il y a des traces d'eau sur le plancher. Elles me mènent à la salle de bains.

Mon père est dans la baignoire qui déborde. Je me précipite pour fermer les robinets qui sont ouverts au maximum. Même si la porte est restée ouverte, les miroirs sont recouverts de buée. L'eau dans laquelle mon père trempe est bouillante.

Je mets sur le sol des serviettes pour éponger l'eau.

Mon père parvient à marmonner: J'ai froid.

– T'as froid? Tu ne peux pas avoir froid, t'es un fantôme.

Il répète: J'ai froid.

– Qu'est-ce que je peux faire? Dis-moi comment je peux t'aider?

Depuis qu'il est fantôme, mon père n'a jamais été malade, n'a jamais souffert de la chaleur ou du froid. Il ne s'est jamais brossé les dents ou lavé. Il n'a pas de corps physique. Je suis complètement prise au dépourvu.

Il me dit d'aller faire bouillir de l'eau. C'est ce que je fais. Je sors l'énorme casserole dont on se sert pour faire cuire les épis de maïs l'été et la remplis d'eau. Je dépose le tout sur une plaque de la cuisinière. Je sors trois autres casseroles et les remplis. Je mets toutes les plaques à contribution. J'utilise même le four à micro-ondes pour réchauffer de l'eau.

J'enfile des gants de plastique et enlève le bouchon de la baignoire pour faire baisser le niveau de l'eau, puis verse le liquide bouillant dans le bain.

Mon père dit encore qu'il est frigorifié.

– Je ne sais plus quoi faire, papa. Aide-moi.

Il dit qu'il pense qu'il est en train de mourir.

– Non! Tu ne peux pas mourir. Un fantôme ne peut pas mourir. Pas maintenant. J'ai encore besoin de toi.

Je m'aperçois que le bas de son corps a complètement disparu.

– Papa, as-tu encore froid? Veux-tu que j'ajoute encore de l'eau chaude?

Il me regarde mais ne me répond pas.

– Papa? Ne t'en va pas. Reste avec moi. Reste, je t'en supplie. J'ai besoin de toi.

Il esquisse un sourire et murmure quelque chose.

– Quoi?

Il faut que j'approche mon oreille de sa bouche pour bien entendre.

Je t'aime, il me dit.

C'en est trop. J'éclate en sanglots.

– Moi aussi, je t'aime, papa. Il ne faut pas que tu meures. J'ai besoin de toi.

Ta mère est là, il me dit.

– Qu'est-ce que tu dis?

Ta mère est devant moi, mais…

– Mais quoi?

Mais elle est triste.

– Triste, pourquoi triste?

…

– Papa, dis-moi pourquoi maman est triste.

Il devient agité. Il répète: Non, non, non. Puis il pousse un hurlement qui me fait dresser les poils sur les bras. C'est alors qu'il disparaît. Complètement.

# 19

Je passe toute la soirée entre les rires et les larmes. J'ai l'impression d'être dans un cauchemar qui
n'a pas de porte de sortie appelée «réveil». En fait,
je n'en ai pas juste l'impression : je vis un véritable
cauchemar.

Il n'y a pas de télévision, pas de radio. À un moment donné, toutes les lumières se sont éteintes. Il
n'y a plus d'électricité depuis au moins deux heures.

Il fait nuit dans la maison. Habituellement,
quand tout est éteint, il est possible d'y circuler sans
trop de casse parce que les réverbères de la rue dif-
fusent un peu de clarté. Sauf qu'il n'y a plus aucune
source de lumière artificielle qui existe, mis à part
ma torche électrique.

Fafouin et XII sont nerveux. Dès qu'il y a un bruit,
ils réagissent vivement. C'est grâce à eux que je parviens à tenir la route. Sinon il y a longtemps que je
me serais laissée mourir sur mon lit, rongée par une
psychose.

Cette épreuve me semble insurmontable. Je suis
dans un cul-de-sac. Et mon père n'est plus là pour
me soutenir.

À vingt-trois heures, je me prépare pour aller me coucher. À la lumière d'une chandelle, je me douche à l'eau tiède, la dernière pour un long moment, je crois. Je coupe les ongles de mes orteils pour nourrir Philibert. Ensuite, je vais me coucher. Fafouin est à ma droite. XII, et accessoirement, Philibert montent la garde. Dès que cet avant-dernier sera fatigué, c'est Fafouin qui prendra la relève.

À deux heures du matin, XII jappe. Je me relève brusquement, prête au pire. La lumière de mon plafonnier est allumée. Il y a de l'électricité. Cela me rend toute joyeuse. Si joyeuse que je n'ai pas le goût de me rendormir. Je dis à XII qu'il peut se reposer. Je vais me charger de l'aspect sécurité.

Je vais faire un tour dans la maison. Rien à signaler. J'allume la télévision et la radio. Toujours l'avalanche de flocons virtuels et la tempête de friture qui sévissent.

C'est à ce moment que je pense à mon ordinateur. Dans les forums de discussion, quelqu'un, quelque part, peut sûrement me venir en aide.

Je clique deux fois sur l'icone du programme de conversation en ligne. Je me branche à un serveur ainsi qu'au forum de discussion de ma ville. Je suis étonnée de constater que je suis la deuxième à m'y joindre. Il y a moi et un certain Mort.

J'inscris :

Bete_et_mechante > J'ai besoin d'aide.

Pas de réaction.

Bete_et_mechante > J'ai vraiment besoin d'aide. Au secours!

Toujours pas de réaction.

Bete_et_mechante > Mort, je sais que tu es là, espèce de cinglé de la pire espèce. Réponds!

Un choc électrique me parcourt l'échine quand je vois apparaître une ligne.

Mort > Qui êtes-vous?

Je pianote sur mon clavier à la vitesse de l'éclair.

Bete_et_mechante > Merci, merci d'être là, je m'appelle Mina, j'ai besoin de votre aide.

Mort > Où êtes-vous, Mina?

Je lui donne mon adresse et lui demande s'il est seul à être sain et sauf.

Mort > Non. Nous sommes une dizaine. Restez où vous êtes, nous allons venir vous chercher.

Bete_et_mechante > Merci! Merci! Merci de tout mon cœur! Je vais vous attendre ici. Dépêchez-vous.

Tout espoir n'est pas perdu.

# 20

Je vais chercher le sac à dos dont je me sers pour faire du camping. Je le remplis comme si je partais pour un long voyage parce que je n'ai vraiment aucune idée de ce qui m'attend. La personne avec qui j'ai discuté se terre dans un endroit où il y a un ordinateur. Les chances pour que les lieux soient confortables sont bonnes. Ça m'encourage. Je décide quand même d'emporter une des épées médiévales de feu Rachel. C'est une sécurité.

La personne qui va venir me chercher risque d'avoir un choc en voyant Fafouin. Ce n'est pas grave. Une fois que tu as fait face à un mort vivant, une mascotte vivante ne devrait pas trop t'impressionner.

Je fais revêtir à XII son habit d'armée qu'on a acheté dans un surplus. Le vert forêt lui sied bien et son béret lui donne fière allure.

À chaque minute, je jette un coup d'œil par la fenêtre. Rien à l'horizon.

Puis la sonnerie du téléphone me fait bondir. J'hésite une seconde avant de décrocher.

– Oui?

– Mina?

Je ne reconnais pas la voix. Mais c'est celle d'un homme.

– Mina? il répète

– Oui, c'est moi.

– Cours, Mina, cours.

– Qui êtes-vous?

– C'est Fred. Fred Frisco, ton prof de bio. Tes parents m'ont dit de t'appeler pour t'avertir. Ils ne peuvent pas parler et je n'ai pas le temps de t'expliquer.

– Mes parents? Mais qu'est-ce…

– FUIS! ILS S'EN VIENNENT!

Il raccroche.

J'ordonne à Fafouin et à XII de me suivre. Mon sac à dos sur les épaules, je me dirige vers la porte d'entrée. Je m'arrête. Je vois au travers de la vitre une dizaine de personnes qui émergent des ténèbres et s'approchent de ma maison. Ils sont tous mal habillés, comme l'énergumène que j'ai croisé tantôt. En tête de ce groupe, je reconnais… Georges Kazhakstan, mon ex-directeur d'école que j'ai assassiné à coups de jambe gelée. C'est avec lui que j'ai clavardé tantôt!

Je rebrousse chemin. Fafouin et XII ne comprennent rien à mon changement de cap, mais m'emboîtent le pas quand même.

J'ouvre la porte-fenêtre qui donne sur la cour. Je passe par-dessus la clôture, XII aussi mais Fafouin n'y arrive pas.

– Défonce la clôture, je lui ordonne.

Il ne se fait pas prier. Les enchevêtrements de fils de métal cèdent sous ses dents.

En courant, je pense à l'idée sinistre qui m'est venue à la suite du coup de téléphone. Une idée si sinistre que je n'arrive pas à m'en débarrasser. Faut que j'aie des preuves qu'elle n'est que le fruit pourri de mon imagination.

Je suis totalement essoufflée quand j'arrive au cimetière. J'ai tout le corps endolori, notamment au niveau de mon genou droit.

Nous nous glissons entre les arbres du cimetière. Il n'y a personne mais il y a beaucoup de monticules de terre. Je vois des trous partout autour de moi. Je passe devant la tombe de Kazhakstan. On l'a déterré. Son cercueil est ouvert et il est vide. Il y a des cercueils partout. Ils sont tous vides.

Je fonce vers la tombe de mes parents. Plus j'approche, plus une évidence s'impose. Blaxwell a exhumé mes parents. Entre ce qui reste des deux cercueils terreux de mon père et de ma mère, je m'agenouille. Je sens monter en moi une colère si grande qu'elle pourrait faire bouger des montagnes.

XII jappe. Cinq morts vivants se dandinent vers nous. Je me relève. Je tire mon épée de son fourreau.

J'ai l'impression de me retrouver dans le vidéoclip *Thriller* de Michael Jackson, la veste de cuirette synthétique rouge et trop petite, les petits gants scintillants, les bas blancs et le maquillage risible des zombies en moins.

Je me jette sur eux en hululant. Fafouin et XII me suivent.

Le premier, le plus dégoûtant d'entre eux (il y a des dizaines de vers qui se promènent dans son orbite droite), je lui enfonce l'épée en plein cœur. Je n'ai même pas à forcer. Il tombe à la renverse. Fafouin s'occupe du reste.

Les quatre autres, je leur tranche la tête. J'ai cru reconnaître l'ancien maire de notre ville, malgré son état de décomposition avancé, mort dans des conditions gênantes (séance de sadomasochiste – encore! – qui a mal tourné) quelques années auparavant.

Fafouin et XII les achèvent en mangeant diverses parties de leurs corps.

Une fois mes ennemis hors d'état de nuire, je retourne chez moi.

## 21

Ma maison est envahie par les morts vivants. Je les regarde de loin, cachée derrière un buisson. Leur nombre est trop élevé pour que l'on puisse les attaquer. Ils sont au moins une cinquantaine.

Je vois Georges Kazhakstan. Il a les deux pieds plantés dans la pelouse et donne des ordres.

Les deux mois qu'il a passés dans la terre ne l'ont pas trop détérioré. Certes, sa peau a la couleur de celle de Hulk, le héros de bande dessinée, mais le reste a l'air bien en place. On ne peut en dire autant de ses congénères. Certains ont le corps si pourri qu'ils en perdent des morceaux.

Que cherchent-ils dans ma maison ? Croient-ils encore que j'y suis cachée ?

En les voyant casser toutes les vitres, Fafouin et XII veulent intervenir. Je dis non.

Une heure plus tard, ils partent. Je vois Kazhakstan leur faire des signes de retraite.

J'attends quelques minutes avant de réintégrer ma demeure, au cas où il y aurait un retardataire.

Ils y ont foutu un joyeux bordel. Plus rien n'est à sa place. Ma chambre est sens dessus dessous. Philibert a disparu. Sa cage est par terre, le fond séparé de la grille. Il doit être quelque part dans la maison.

Fafouin et XII ruminent dans leur coin : les morts vivants ont brisé le téléviseur et le magnétoscope.

– Allez les chasser, je leur ordonne. Mais que je ne vous vois pas en ramener à la maison. C'est pour consommation immédiate, d'accord ?

Je savais que ça allait leur faire plaisir. Je leur ouvre la porte et, libres comme l'air, ils donnent l'impression d'être deux bestioles absolument heureuses. S'ils savaient dans quel cloaque je nous ai mis…

Moi, je vais jouer les espions.

J'ai décidé de me déguiser pour m'infiltrer dans l'école, voir de quoi il retourne. Savoir mes parents entre les mains de Blaxwell et de Kazhakstan me donne d'authentiques maux de ventre dus à l'angoisse. Je vais tout tenter pour les libérer.

Je trouve de vieux vêtements de mon père beaucoup trop grands pour moi et les enfile. Je me regarde dans une glace. Ce n'est pas très esthétique (j'ai l'air d'une clocharde), mais ça va faire l'affaire.

J'ai deux gros problèmes. Mes cheveux (blancs) et mes yeux (rouges). À ma connaissance, je suis la seule albinos de la ville. Donc aisément reconnaissable.

Au cours de l'une de mes crises existentielles, un irrépressible goût du changement m'a forcée à me procurer du produit pour me teindre les cheveux.

Je ne suis jamais passée à l'action par manque de courage.

Dans la salle de bains, j'ouvre la pharmacie. Tout est encore bien rangé. La boîte est là, à ma droite. Voyons voir les instructions.

Dans mon dos, j'entends un bruit. Ça vient de la baignoire.

Le rideau s'ouvre. Je pousse un cri. C'est Kazhakstan.

– Mina, très chère Mina, c'est vous que je cherchais justement.

– Comment… ? Je t'ai vu partir tantôt !

– Il ne faut jamais se fier aux apparences. Je n'ai eu qu'à emprunter les vêtements d'un autre. Vous donnez l'impression d'avoir un esprit vif et redoutable mais, en fait, vous n'êtes qu'une petite niaise.

S'il fait un geste dans ma direction, je tombe sans connaissance.

– Je suis désolée pour ce que je t'ai fait…

– Vouvoyez-moi ! On n'a pas élevé les cochons ensemble.

– Désolée, monsieur Kazhakstan. Désolée de vous avoir tué. Il fallait que je me défende.

– Voyez ce que vous avez fait, Mina. Regardez-moi. Je ne respire pas, mon cœur ne bat pas, l'embaumeur a fourré mon cerveau dans mon ventre et, des fois, des insectes sortent de mes oreilles avec un bout de chair. Je n'ai jamais autant souffert de ma vie. Blaxwell n'aurait jamais dû mettre la main sur ce livre de magie. Mes petits fantasmes sadomasochistes avec Garabond, Fafouin et mes jeunes vierges étaient de la petite bière en comparaison de ce qui arrive aujourd'hui. Tout ceci est de votre faute.

Terrorisée, je parviens à déclarer :

– Je sais, je sais, monsieur Kazhakstan. J'ai fait une bêtise.

– À l'époque de mon adolescence, Blaxwell était déjà fascinée par la magie noire mais elle n'avait pas de limites. C'est la raison pour laquelle nous l'avons exclue de notre groupe. Avec le temps, elle ne s'est pas assagie. Elle a sauté sur la première occasion qui s'est présentée à elle. Vous me croyiez fou ; elle l'est cent fois plus que moi. Vous n'avez rien vu. Elle m'a chargé de vous trouver et de vous ramener vivante. Elle veut boire votre sang jusqu'à…

– …la lie, je sais, je sais. Écoutez-moi, Georges.

– Non, Mina. C'est à vous de m'écouter. Donnez-moi votre main.

– Pourquoi ?

– Donnez-moi votre main. Je vais manger vos petits ongles un à un. Ils ont l'air si succulents. Je suis affamé.

Il y a de la bave orange sur ses lèvres. Trop, c'est trop. Je fuis.

Je descends les escaliers en contournant tous les objets qui traînent sur les marches. Kazhakstan m'attend au pied de l'escalier. En voyant ma réaction, il a un grand rire.

– Tu ne peux plus fuir, Mina. Blaxwell m'a donné le pouvoir de me téléporter où je veux, quand je veux. Regarde !

Il apparaît successivement à ma droite, à ma gauche, en haut des escaliers et dans le salon.

– On peut s'entendre, Georges, j'en suis sûre, je dis sur un ton implorant.

– Il est trop tard. Vous êtes à moi. À moi !

Je cherche des yeux quelque chose pour me défendre. Si seulement je n'avais pas donné à Fafouin et à XII l'autorisation d'aller gambader...

Je prends une chaise, ou du moins ce qu'il en reste, et la lui lance. Facilement, il change de place. Où est-il ? Il tapote sur mon épaule. Il est en arrière de moi.

Il me faudrait un objet contondant comme... un bâton de base-ball. Où pourrais-je trouver quelque chose qui s'y apparente... Je sais !

Je cours à la cuisine. Il se place devant moi. Je le contourne.

Du congélateur, je sors le bras de Garabond que XII lui a arraché par la force de ses mâchoires. Il est tout raide et la peau est devenue toute blanche. Je ne m'en suis jamais débarrassée parce que je ne savais pas quoi en faire. Et puis, c'est la preuve que j'ai eu le dessus sur ce psychopathe. Un souvenir, quoi !

Je tire les manches de mon chandail et prends le poignet du bras comme une poignée. Je lève le bras. Il va voir de quel bois je me chauffe. Je m'élance. Dans le vide. Il a disparu.

– Où êtes-vous, Kazhakstan?

– Je suis ICI!

Il saute sur mon dos. Je tombe à genoux. Je parviens à prendre son bras et à faire passer son corps au-dessus de moi. Je me relève et vise sa tête.

Deux coups portent, puis il disparaît une autre fois. Où va-t-il resurgir? Là-bas, sur le canapé. Il est toujours couché. Je crois que je l'ai blessé. Avant que je ne puisse lui infliger une autre correction, il s'évapore.

Mais il réapparaît quelques secondes au même endroit. Je vois que j'ai fait un trou dans sa tête, comme un cratère.

Je brandis le bras. Il pousse une longue plainte:

– Non!!! Pitié!

– Tu vas crever une autre fois, Kazhakstan!

– Non, arrêtez. Je n'ai plus d'énergie. Je meurs de faim. Aidez-moi! Je suis prêt à collaborer avec vous si vous me donnez de la nourriture.

– Tu me le jures?

– Juré. Vite! Donnez-moi le bras!

Je le lui tends.

J'ai déjà entendu dire que, une fois mort, on a les cheveux et les ongles qui continuent à pousser. C'est vrai. Les ongles des doigts de Garabond sont si longs qu'ils ressemblent à ceux d'une effeuilleuse sur le déclin dans un bar miteux de banlieue.

Comme un petit cochon, Kazhakstan bouffe les ongles. Il y met tellement d'ardeur que deux des doigts se sectionnent.

– Ahhh! c'est tellement bon!

– Écoute-moi bien, Kazhakstan. Il faut que je récupère le livre de magie. Il y a sûrement un moyen de renverser le sort qu'elle vous a jeté.

– Sûrement.

– J'ai un plan.

Je le lui expose mais il n'y croit pas vraiment.

– Il faut essayer, je lui dis. C'est notre seule chance. Ne pense surtout pas que je fais ça pour te sauver. Je fais ça pour mes parents. Blaxwell les a déterrés. Ils sont dans la même situation que toi. C'est eux qui m'ont avertie de ton arrivée.

Je fais une courte pause, puis :

– Alors, on fait un pacte?

Je lui tends la main. Il la prend dans la sienne. Il a la peau froide et mollassonne.

– D'accord, on fait un pacte, il dit.

# 22

L'école est surveillée par des tas de morts vivants. À l'entrée principale, deux mastodontes puants baissent et relèvent la tête en direction de Kazhakstan pour lui signifier qu'il peut passer avec sa prisonnière, c'est-à-dire moi. Ils ont quand même pris soin de vérifier si les liens qui unissent mes deux mains sont solides.

Je passe devant une dizaine d'étudiants qui sont complètement absorbés par le livre qu'ils ont sous le nez. Un mort vivant nain passe de l'un à l'autre pour leur donner eau et nourriture. Celui qui le suit regarde les ongles de leurs doigts. S'ils sont assez longs, il les coupe et les dépose dans une chaudière.

Kazhakstan m'amène à la bibliothèque. C'est à cet endroit que Blaxwell a fait son quartier général. Quand on ouvre la porte, une odeur fétide vient chatouiller mes narines. Je ne peux m'empêcher d'éternuer trois fois.

Blaxwell est assise sur une chaise formée de livres de la bibliothèque. Dix morts vivants forment un cercle autour de la chaise. À part elle et moi, il y a un être humain «normal» dans la pièce : Garabond le travesti! Plus personne n'avait entendu parler de lui depuis que XII l'avait estropié. Même avec un bras en moins, il est toujours aussi imposant dans son habit de cuir.

Blaxwell affiche un sourire rayonnant de méchanceté quand elle voit que Kazhakstan a réussi à me mettre la main dessus.

Kazhakstan s'agenouille. Il me force à faire de même. À son dos est attachée l'épée dont je me suis servie pour me défendre un peu plus tôt.

– Voilà donc la belle Mina Kemper. Bienvenue dans mon royaume.

L'écho de sa voix résonne contre les murs pas peints depuis une éternité de la bibliothèque.

– Je suis enchantée.

– Ne sois pas insolente! Tu n'as probablement pas compris que, dans quelques heures, Garabond et moi allons nous régaler de ton sang, tout comme mes sujets se régalent des ongles de tes professeurs et petits camarades de classe et bientôt de l'humanité tout entière.

– Tu ne t'en sortiras pas comme ça, Blaxwell. T'es folle à lier.

– Peut-être, mais il appert que c'est toi qui es prisonnière.

– Prisonnière pas pour longtemps.

Le plan que j'ai établi avec Kazhakstan est simple.

Dès que je lui fais signe, il me détache, il élimine tous les morts vivants passés au mode offensif tandis que je saute sur Blaxwell pour lui faire cracher le morceau. Mais je n'avais pas prévu que Garabond allait être là. Ça, Kazhakstan ne me l'avait pas dit.

Je me tourne vers lui. Je lui fais un clin d'œil. Il tire l'épée de son fourreau et pose la pointe acérée sur ma nuque. La lame est lourde.

Il ne suit pas le plan.

– Votre Honneur, puis-je vous adresser la parole ? demande-t-il.

– Vas-y, Georges.

– Mina avait établi un plan pour vous détrôner. Pour la faire prisonnière, j'ai dû donner l'impression d'acquiescer à ses demandes.

– Kazhakstan ! je m'indigne.

Il augmente la pression. Je sens une rigole de sang chaud couler sur ma peau. Si je bouge un peu trop, je vais me retrouver décapitée en moins de temps qu'il n'en faut pour crier «guillotine».

– Quelles étaient donc ces demandes, Georges ?

– Elle voulait former une alliance avec moi pour vous tuer. Elle voulait que je l'amène à vous pour mieux vous attaquer.

– Tu m'as promis…, je marmonne à l'endroit de Kazhakstan.

– Tais-toi, enfant du diable, tonne Blaxwell.

La situation m'oblige à obéir à son ordre. Dans d'autres circonstances, j'aurais agi autrement, mais bon, je ne suis pas en position de rouspéter.

– Il y a autre chose, votre Honneur.

– Quoi donc?

– Elle m'a dit que ces parents étaient ici.

– Ce sont des professeurs?

– Non. Vous les avez déterrés. Ce sont des morts vivants.

– Hum… Très intéressant.

– Si tu lèves le petit doigt sur mes parents, Blaxwell, je…

– Ils sont mes esclaves. J'ai droit de vie et de mort sur eux.

– Je n'ai pas terminé, votre Honneur.

– Poursuivez, Georges.

– Je soupçonne qu'il y a un espion parmi vos sujets. Après la discussion que j'ai eue avec elle par ordinateur interposé, elle a été avertie de mon arrivée.

– Vraiment? Très intéressant. S'il y a un espion, il est dans la salle puisque vous ne m'avez parlé de Mina que dans cet endroit. Est-ce que je me trompe?

– Oui, votre Honneur, vous vous trompez. Je vous ai informée de la chose à la cafétéria alors que vous étiez entourée de plusieurs de vos sujets.

– Bien. On réglera ce problème de loyauté défaillante un peu plus tard. Pour l'instant, Mina, je tiens à vous avertir que, ce soir, vous ferez les frais de mon souper. Garabond et moi rêvons depuis si longtemps de boire le sang de la fille du diable. Kazhakstan et Garabond, emmenez-la loin de moi. Je ne veux plus la voir.

Kazhakstan lève l'épée et tire sur mes poignets. Je me redresse. Blaxwell me pointe du doigt.

– Je te tiens, Belzébuth.

Je ne trouve rien à lui répondre. Je crois qu'elle a raison. Elle me tient.

## 23

Kazhakstan et Garabond m'entraînent dans le local de repos réservé aux professeurs. Quelle étrange sensation que d'être escortée par ces deux monstres que j'avais complètement relégués aux oubliettes de ma mémoire!

– Tu m'as manquée, a été la seule parole de Garabond lorsqu'il m'a jetée dans la pièce.

Je n'ai pas eu d'acouphène, il dit vrai.

Il a regardé Kazhakstan, lui a fait un clin d'œil plein de sous-entendus et ils ont souri. Ils savourent leur vengeance. Kazhakstan a défait mes liens, j'ai pensé lui lancer une injure, comme dans le bon vieux temps, mais je ne m'en suis pas senti la force. Il est sorti en claquant la porte de bois.

J'arrache le morceau de ruban qui recouvre ma bouche. Ça épile!

Il y a un canapé, un fauteuil, une table de billard, une machine à café et des bureaux. Mais pas de fenêtres. Quatre murs de béton m'entourent.

Je me couche sur le canapé et ferme les yeux. Pendant une bonne demi-heure, je tente de faire le vide dans mon esprit : ne pas penser à mes parents, ne pas penser à ce soir, ne pas penser à Anthony qui est quelque part dans cette école à lire, lire et lire, ne pas penser que si je m'étais débarrassée du livre à temps...

Je me relève. Il faut que je sorte d'ici.

La porte est barrée, évidemment. Au-dessus, il y a une lucarne qui bascule vers l'intérieur. Mais l'espace n'est pas assez grand pour que je puisse m'y glisser. En fait, il faudrait que je mesure trois pieds et que je pèse vingt-cinq livres pour espérer y passer.

Je tire une chaise et grimpe dessus. Sur la pointe des pieds, je regarde au travers de la lucarne. Il n'y a pas de garde, seulement un étudiant qui lit une bande dessinée, assis par terre.

Je m'accroche au cadre de la vitre pour essayer de le briser. Je n'y arrive pas. Je crie à pleins poumons :

– À l'aide !

Pour seul accusé de réception, l'écho de ma voix me revient.

Si je parviens à casser cette vitre, je vais pouvoir m'en sortir. Je zieute la pièce à la recherche d'un objet que je pourrais utiliser pour fracasser la vitre lorsque j'entends un grattement.

Je colle mon oreille à la porte. J'espère de tout cœur que ce n'est pas déjà l'heure du souper pour Blaxwell et Garabond.

Oui, c'est bel et bien un grattement. Mais il ne vient pas de l'extérieur. On dirait qu'il vient du... plancher?

Je grimpe sur la chaise pour m'assurer que personne ne se cache derrière la porte. Ça va.

Le grattement se poursuit. Je cherche. Je finis par localiser le bruit : en dessous du canapé. Je le tire. Il pèse une tonne. Je réussis à le faire avancer d'une dizaine de centimètres. Assez pour constater qu'il cache une grille. Et je vois des petites griffes dépasser de cette dernière. C'est Gingivite, le ouistiti de Cyprine !

Je tire un peu plus le canapé pour me donner une plus grande marge de manœuvre.

Il y a un trou carré dans le plancher. Je lève la grille. Le ouistiti y reste accroché. Dès que je pose ses pattes sur le plancher, il lâche tout et grimpe sur mon épaule.

– Tu me sauves la vie, vieux, tu ne peux pas savoir comment.

Il pose sa petite tête contre la mienne pour me faire une caresse.

Je jette un coup d'œil dans le trou. J'ai droit à une superbe vue d'ensemble des toilettes des filles. Quels pervers, ces professeurs ! Moi qui ai toujours pensé que c'était l'aboutissement d'un conduit du système de ventilation. Non ! Ça sert à se rincer l'œil.

Gingivite grimpe sur le canapé. Il est énervé. Il pousse des petits cris aigus et lève les bras. On dirait qu'il veut me dire quelque chose. Il saute du canapé et s'approche de la porte. Il veut que je lui ouvre.

– On ne peut pas sortir. La porte est verrouillée.

Alors, il pointe le trou duquel je l'ai extrait.

– Je ne passe pas là-dedans, oublie ça.

Il saute dans le vide et atterri sur le carrelage, quelques mètres plus bas. Il me montre toutes ses dents et tend sa petite main osseuse.

– Je te dis que je ne passe pas. Je ne suis pas une boule de poil agile de cinq livres, moi !

Je me retourne. J'ai entendu un bruit. Un autre. La poignée. Quelqu'un la tourne. Passe ou passe pas, c'est le moment ou jamais.

Je m'assois sur le sol et je fais pendre mes jambes dans le vide. Ce n'est pas le temps d'avoir peur. Entre les deux planchers, il y a environ trois mètres. La chute risque d'être brutale.

Je fais passer mes hanches. Ça frotte mais ça passe.

La porte s'ouvre dans un grand fracas. Je ne vois pas qui c'est, le canapé me cache la vue. La personne me cherche dans la pièce jusqu'à ce qu'elle passe la tête par-dessus mon rempart. C'est Kazhakstan. En comprenant ce que je suis en train de faire, il sursaute.

Je lève mes bras en l'air et tombe. Je sens les

bords de métal érafler mon dos, mon ventre et mes seins. J'atterris sur les talons. Je perds pied, tellement la douleur est vive.

Kazhakstan a passé sa tête dans le trou.

– Je vais avoir votre peau, Mina Kemper!

Je frotte mes chevilles, me relève mais je chute.

Gingivite tire sur mon t-shirt.

– Je m'en viens, je m'en viens.

Kazhakstan disparaît.

Je me relève. En boitant, je sors des toilettes. Gingivite tourne à gauche. Or, la sortie la plus proche est à droite.

– Non, pas par là! C'est de l'autre côté.

Il s'obstine.

– Le raccourci est de ce côté, je lui indique.

Il fait dix pas et se retourne. Il veut que je le suive. C'est ce que je fais même si ça ne me dit rien qui vaille. Gingivite semble savoir des choses qui me sont inconnues.

Tous les étudiants, dans les corridors et dans les classes, ne se préoccupent absolument pas de ma fuite. Ils ont le nez plongé dans leur bouquin.

Je jette un coup d'œil derrière moi. Kazhakstan n'est toujours pas là.

En voulant emprunter la cage d'escalier, je passe devant Anthony. Je m'agenouille devant lui.

– Anthony! Anthony! C'est moi! Mina!

Je le secoue un peu. Il est tout mou.

– Viens avec moi! Il faut se sauver!

Gingivite me fait signe de me dépêcher. Je ne peux pas laisser Anthony ici.

Je me relève en tirant son bras. Il ne veut rien savoir. Tant pis pour lui. Il n'avait qu'à pas faire confiance à Blaxwell.

Je dévale les escaliers. Gingivite utilise les rampes comme glissoire. Au premier étage, je le vois se diriger vers la bibliothèque.

– Non, je lui crie. On ne peut pas aller par là.

Gingivite se fout de ce que je viens de lui dire.

Au même instant, Kazhakstan apparaît devant moi, à cinq centimètres de mon nez. Je m'apprête à lui donner un bon coup de genou là où ça fait mal, mais il me prend par surprise en ouvrant la bouche et en soufflant sur mon visage.

La dernière image qui s'impose à mon esprit avant que je tombe dans les pommes est un tube de dentifrice.

## 24

Je me réveille, je ne sais pas trop combien de temps après m'être affaissée. La douleur autour de mes poignets est insoutenable. J'ai l'impression qu'on les maintient aux barreaux de la chaise sur laquelle je suis assise avec du barbelé chauffé à blanc. Le matériel qu'on a utilisé pour m'attacher semble pourtant mou et grouillant (!?).

– Mina!

Je relève lentement la tête. Les os de mon crâne semblent être faits de plomb. Je suis assise en face de Blaxwell mais sur une table. De là, la perspective est bien différente.

– Tu te réveilles au bon moment, très chère.

J'essaie d'ouvrir la bouche mais je m'aperçois qu'on y a apposé du ruban adhésif.

– Avant que je ne boive ton sang, tu vas assister à la mise à mort de l'une de tes camarades de classe que tu connais très bien.

Elle fait un large mouvement de bras et pointe une masse noire à ma droite. Je tourne la tête de quelques degrés. C'est Cyprine. On l'a retirée de sa chaise roulante et on l'a posée sur la table. Sa tête est prise de violents spasmes et sa bouche déverse une chute d'écume. Bref, ce n'est pas la grande forme.

Je comprends maintenant pourquoi Gingivite voulait m'amener ici et pourquoi il était si affolé.

– Tu vois ce qui arrive lorsqu'on empêche mes sujets de lire ? Ils deviennent fous ! Fous, fous, complètement fous ! s'exclame Blaxwell.

Elle pose son index sur sa lèvre inférieure et poursuit :

– Elle ne sert à rien, cette pauvre fille. Sans bras ni jambe, elle ne peut nourrir aucun de mes esclaves. Pas même tes parents !

Je tire sur les liens. On pose durement une main sur mon épaule. Je me retourne. C'est un mort vivant. D'un trou dans son ventre émergent ses intestins qui sont enroulés autour de mes poignets. De petits insectes nécrophages ont envahi mes bras. Ce sont eux qui me font mal. Je n'ai pas de peine à imaginer leurs petites mandibules coupantes comme des lames de rasoir qui pénètrent dans mon épiderme. J'écarquille les yeux.

– Pratique comme liens, n'est-ce pas ? dit Blaxwell. Ne t'inquiète pas pour les insectes. Le pire qui puisse t'arriver est qu'ils bouffent toute ta peau autour des intestins. Les pauvres, ils ne peuvent pas faire la différence entre ce qui est mort et ce qui est vivant.

D'ailleurs, dans moins de cinq minutes, ils pourront te bouffer à leur guise, fille du diable, parce que tu vas être morte!

Le mort vivant qui me sert de boulet ricane. Tous les autres dans la pièce l'imitent. Kazhakstan est là, dans le fond (il me fait un clin d'œil quand je croise son regard et il tient un sac à la main), mais je ne vois pas Garabond.

– Avant d'exécuter ta pauvre camarade, j'ai deux choses à te dire. Premièrement, tes parents. On ne les a pas encore retrouvés, mais ne te fais pas de bile, ça va venir, c'est une question de minutes avant de les repérer. Je vais leur demander d'assister à ta saignée. Qu'est-ce que tu en dis?

Cyprine donne un violent coup de tête sur la table. Ses yeux sont révulsés.

– Oui, oui, très chère, je vais bientôt être à toi, chacun son tour.

Blaxwell prend une mèche des cheveux de Cyprine et la hume en fermant les yeux.

– Hum… Je sens déjà le goût de tes globules rouges sur ma langue.

Elle soupire.

– La deuxième chose: voilà comment je vais procéder pour ta saignée. Kazhakstan, apporte-moi l'outil!

Kazhakstan sort de son sac un vilebrequin. Il le

tend à Blaxwell. Elle le regarde et le caresse comme s'il était en or.

– J'en connais qui utilisent ça pour faire couler la sève des érables au printemps. Mais cette fois-ci, c'est ta sève que je vais faire couler dans ma bouche et sur mon corps. Je vais faire un trou exactement là.

Elle brandit son index en direction de mon nombril.

– Une fois que tu vas t'être un peu vidée, je fais faire un trou là.

Maintenant, c'est ma jugulaire qu'elle pointe.

– Et je vais finir là, entre tes deux yeux. As-tu des commentaires à formuler? Veux-tu contester le fait que tu vas te retrouver avec trois orifices supplémentaires?

Un silence.

– Bien, je vois que tu consens. Tu me fais plaisir.

Elle rit encore une fois.

– Je suis à toi, ma chère amie, fait-elle à l'endroit de Cyprine.

Alors qu'elle dépose la mèche du vilebrequin sur le cou de la présidente du Conseil étudiant de l'école, un grand craquement se fait entendre derrière moi.

## 25

Je ne comprends pas ce qui se passe.

Blaxwell laisse tomber son outil et éructe une espèce de cri. Je vois alors apparaître devant moi Georges Alexander XII en habit d'armée. Gingivite est juché sur son dos.

Tandis que le ouistiti part à la rescousse de sa maîtresse agonisante, XII grimpe sur la table et s'attaque au mort vivant dont une partie du système digestif me retient. Il ne lui laisse aucune chance. Il déchiquette les intestins pour me libérer. Je me relève et arrache les bouts de tissus verts et morts qui sont restés collés à ma peau.

J'hallucine complètement. Il y a au moins mille bestioles de la grosseur d'une tête d'épingle qui grouillent sur ma peau. Je secoue vigoureusement mes mains mais ils ne se détachent pas facilement. Prise de panique, je vole jusqu'à l'abreuvoir et les noie sous le liquide brun et sucré qui en sort. Super-efficace comme insecticide, le cola.

Fafouin attaque comme un déchaîné. Même s'ils sont dix morts vivants à vouloir lui faire la peau, ils ne font pas le poids. Les dents de la mascotte passent au travers de la chair puante comme un doigt dans du beurre laissé au soleil. Chaque attaque fait gicler un liquide brunâtre qui atterrit sur sa fourrure. Même s'il ne va pas apprécier, va falloir que je lui donne un bon bain une fois tout ça terminé.

Gingivite pousse des hurlements qui me donnent mal à la tête. Il est sur la poitrine de Cyprine. Je tire un livre d'une bibliothèque, l'ouvre et le place devant les yeux de cette dernière. Dix longues secondes passent avant qu'elle ne montre des signes encourageants. Elle cesse de bouger anarchiquement et s'apaise. Le petit singe prend ma relève.

Je dois sortir d'ici pour retrouver mes parents.

Rapidement, XII et Fafouin ont réduit les morts vivants en des choses visqueuses et fumantes. Kazhakstan fait-il partie du lot? Et Garabond, où est-il? Et Blaxwell?

À deux mètres de la porte de sortie, justement, Blaxwell surgit de derrière le comptoir et m'agresse avec ce qui semble être un coupe-papier. Je me défends du mieux que je peux.

– Recule, fille du démon! elle m'ordonne.

– Dis-moi où est le livre.

– Il est à moi!

XII vient se placer à mes côtés. Il grogne. Je hausse le ton de ma voix.

– Dis-moi où est le livre!

Elle fait un faux mouvement que XII interprète

comme une attaque. Il saute sur elle. Elle a le réflexe de lever le coupe-papier. Il pénètre dans la poitrine du danois qui tombe sur elle.

Blaxwell se relève péniblement et sort de la bibliothèque en vociférant. Je vais tout de suite examiner XII. Couché sur le côté, il tente d'arracher l'objet de métal qui s'est plantée aux trois quarts dans son flanc. Sa plaie ne saigne pas du tout.

– Ne l'arrache surtout pas, XII. Surtout pas. Fafouin, viens m'aider !

La mascotte semble secouée par ce qu'elle voit.

– Reste ici, je lui dis, il faut que j'aille chercher mes parents.

Fafouin me retient. Il fait non de la tête.

– Lâche-moi, fais-je en me dégageant. Je suis assez âgée pour savoir ce que je fais.

J'ouvre la porte de la bibliothèque. Je fais face à un véritable mur de morts vivants qui ont tous l'air de m'en vouloir. Je la referme aussitôt.

Pense vite, Mina, pense vite…

Soudainement, j'entends, venue de l'extérieur, une suite de mots criés qui ressemblent à des incantations. Puis la porte s'ouvre. C'est Fred Frisco. Il me tend la main.

– Viens-t'en !

En arrière de lui, je vois les morts vivants. Ça ne me dit rien qui vaille. Est-ce que c'est un piège ?

– Et les morts vivants ?

– Je les ai paralysés, mais je ne sais pas pour combien de temps. Dépêche!

– Mon chien est blessé. Et il y a Cyprine, là-bas.

XII se relève péniblement et se dirige vers la sortie en boitant. Fafouin prend Cyprine dans ses bras tandis que Gingivite escalade sa tête. Je sors aussi.

Je demande à Fred qui me pousse vers la sortie:

– Comment t'as fait?

Il soulève son chandail et me montre une liasse de feuilles blanches.

– J'ai réussi à faire une photocopie du livre de magie. Je t'expliquerai tout plus tard.

Je me faufile entre les morts vivants, comme si je circulais dans un magasin rempli d'objets de cristal.

En mettant le pied dehors (l'air frais est si agréable à respirer!), je me demande s'il faut que je prenne le risque de partir à la recherche de mes parents. Oui, il le faut. Je ne peux pas les laisser là.

En me retournant, je m'aperçois que les morts vivants sortent tranquillement de leur torpeur. Trop tard. Je suis perdue.

Quelques secondes plus tard, je jette un dernier coup d'œil à l'école. Je crois apercevoir dans une fenêtre du quatrième étage Kazhakstan, Blaxwell et Garabond qui me regardent partir. En fait, je n'en suis pas sûre parce que mes yeux sont inondés de larmes.

Papa, maman…

À SUIVRE